Guide pratique du **Chemin** de **Saint-Jacques-de-Compostelle**

Aux pèlerins qui, en 1200 ans, sont tombés en Chemin.

À toutes ces personnes formidables qui consacrent, ou ont consacré, leur vie au pèlerinage, et à ceux qui nous ont quitté dernièrement :

- Jeanne Debril (Saint-Jean-Pied-de-Port)
- Felisa (Logroño)
- Don José Maria (San Juan de Ortega)
- Jesús, el « Parralero » (Burgos)
- José Santino et Julián Campo (Castrojeriz)
- Pablo, el « Mesonero » (Villalcázar de Sirga)
- Don Elías (O Cebreiro)
- Don Jaime (de Santiago)

© Éditions Dervy, 2010
22, rue Huyghens
75014 Paris
ISBN : 978-2-84454-626-5
e-mail : contact@dervy.fr

Ferdinand SOLER

Guide pratique du **Chemin** de **Saint-Jacques-** de-**Compostelle**

des Pyrénées françaises
à Santiago de Compostela

À L'USAGE DES PÈLERINS
(à pied, à cheval, à vélo tout-terrain)

Quatrième édition revue, corrigée et augmentée

Éditions DERVY

✺ Légendes

INFORMATIONS PRATIQUES

FON	Fontaine	DAB	Dist. auto. de billets
REF	Refuge de pèlerins	BAR	Bar, café, buvette
Alt.	Altitude	RES	Restaurant
C	Chambre, pension, casa rural, etc.	HOT	Hôtel, pension
E	À l'écart du Camino	ALI	Magasin d'alimentation
é	Seulement l'été	CAS	Casse-croûte
BIV	Bivouac sauvage	PH	Pharmacie

Cathédrale de Compostelle. Tombeau de l'Apôtre saint Jacques

« Moi, Évêque de Rome et Pasteur de l'Église universelle,
de Saint-Jacques je te lance, ô vieille Europe, un cri plein d'amour :
Rencontre-toi à nouveau. Sois toi-même. Découvre tes origines.
Ravive tes racines. Revis ces valeurs authentiques qui firent glorieuse
ton histoire et bienfaisante ta présence dans les autres continents. »

Jean-Paul II lors de son pèlerinage à Compostelle, le 9 novembre 1982
(Insegnamenti, vol. V/3, 1982, p. 1260)

CAMINO DE SANTIAGO

Sommaire

Roncevaux
Puerto de Ibañeta

⚜ Note de l'auteur

« Lève-toi, et marche »
Depuis des millions d'années, l'homme se déplace sur ses pieds à une allure variant de 3 à 8 km/h. Cela ne fait qu'un demi-siècle qu'une vitesse supérieure s'est démocratisée. La marche établit un équilibre physique et cérébral ; une communion entre le corps, l'esprit, la nature et l'Univers. Le Chemin de Compostelle apporte, en plus, une dimension spirituelle. Quelles que soient les motivations qui vous animent, vous ne verrez plus la vie de la même façon après votre « Camino ».

« N'ayez pas peur ! »

Ce guide, je l'espère, vous permettra de réaliser convenablement votre pèlerinage, en limitant les mauvaises surprises. Il contient des informations fraîches et inédites à ce jour. Elles ont été recueillies sur le terrain, lors des mises à jour (à pied), en prenant directement contact avec les autorités locales : ecclésiastiques, élus locaux, paysans, hospitaleros, etc. Les distances ont été calculées, d'église à église, avec la précision des systèmes satellitaires GPS/EGNOS. Quatorze fois le Chemin parcouru à pied en treize ans, six à huit semaines par an dans la fonction d'*hospitalero voluntario* (chargé bénévolement de l'accueil des pèlerins dans les refuges), plusieurs années d'investigations, de rencontres et de recherches, ont été nécessaires pour rassembler toutes ces indications.

Si possible, partez de chez vous ou d'un lieu que vous portez dans votre cœur ; prenez votre temps et buvez beaucoup d'eau.

Je vous serais extrêmement reconnaissant de me faire part de vos suggestions, de vos remarques, etc.

Merci
Ferdinand SOLER

« E-Ultr-eia, E-Sus-eia ! »
Que Dieu vous aide !
...et que saint Jacques vous garde !

«¡ BUEN CAMINO, PEREGRINO (A) ! »

SITE INTERNET
http://compostela2010.free.fr
Courriel : facsfrance@gmail.com

🐚 Courte histoire de l'apôtre saint Jacques (Le Majeur) & du Pèlerinage

Saint Jacques et son frère saint Jean (l'Évangéliste) étaient les fils de Zébédée et de Marie-Salomé, famille de pêcheurs vivant à Yafia, près de Nazareth. Alors qu'ils étaient dans une barque, sur les rives du Génésareth (mer de Galilée) à préparer leurs filets, Jésus les invita à le suivre pour en faire des pêcheurs d'hommes *(cf. St Marc 1,19, St Matthieu 4,21)*.

De tous les apôtres, les deux frères devinrent, avec saint Pierre, les disciples les plus intimes du Christ. Ils furent présents à ses côtés lors des moments les plus importants *(cf. Transfiguration St Luc 9,28 ; St Marc 5,37 ; St Matthieu 26,36)*.

Les Évangiles décrivent souvent Jacques et Jean comme des personnages entiers, dotés tous deux d'une forte personnalité *(cf. St Luc 9,51 ; St Matthieu 20,20)*. Jésus les surnommait « Boanergès » : Fils du tonnerre *(cf. St Marc 3,17)*.

Après la mort et la résurrection du Christ, les apôtres se dispersèrent à travers le monde pour annoncer la Bonne Parole. Saint Jacques, lui, partit évangéliser l'Espagne jusqu'au Finistère galicien (pointe occidentale de l'Espagne).

De retour en Terre Sainte quelques années plus tard, en compagnie de quelques-uns de ses disciples, il fut le premier apôtre martyrisé (décapité sur décision du roi Hérode Agrippa en l'an 43-44). Selon la Légende Dorée, le corps de l'apôtre fut conduit par ses disciples (dont saint Athanase et saint Théodore) dans une barque, menée par les vents et les flots, jusqu'aux côtes de la Galice. Ils accostèrent à Padrón, non loin du Cap Finistère. Saint Jacques fut enseveli près d'Iria-Flavia.

Au cours des siècles, et en raison des guerres et des invasions barbares, le tombeau fut pieusement dissimulé puis sombra dans l'oubli. Apparut en songe à Charlemagne, le sépulcre de l'apôtre ne fut redécouvert qu'en l'an 813, par Pelayo (ou Pélage) ; ermite inspiré qui suivit une éblouissante étoile. Celle-ci s'arrêta en Galice celtique, au milieu d'un champ (champ de l'étoile... *campus stellæ*... Compostela ?).

Par l'action de Théodomire, évêque d'Iria, et du roi Alphonse II des Asturies, le pèlerinage vers Compostelle connut très vite une renommée dans tout l'Occident, et les pèlerins abondèrent. Ainsi, dès l'an 951, Godescalc, évêque du Puy, entreprit de réaliser un pèlerinage pour Compostelle.

Durant la bataille de Clavijo (en mai 844), alors que les chrétiens étaient mis en déroute par les Maures, l'apôtre apparut sur un cheval blanc, tailladant les infidèles de son épée et donnant la victoire aux minoritaires défenseurs de la Croix. Dès lors, le *Santiago Matamoros* (Saint Jacques Matamores, tueur de Maures) devint le symbole de la *Reconquista* (reconquête de la péninsule Ibérique occupée par les musulmans) et le Saint Patron de la Très Catholique Espagne.

Au Moyen Âge, beaucoup de pèlerins mouraient sur le Chemin. Il leur fallait braver divers dangers tels que les brigands, les loups, les noyades, et même les cannibales.

Les papes Calixte II (en 1122), et Alexandre III (en 1179), accordent des grâces particulières aux pèlerins se rendant à Compostelle ; et les indulgences plénières lorsque la Saint-Jacques (25 juillet), tombe un dimanche : c'est l'Année jubilaire ou Année Sainte Compostellane.

Les chemins de St Jacques furent récemment honorés de glorieuses reconnaissances ; permettant ainsi leur protection : Patrimoine de l'Humanité (UNESCO, en 1985), Premier Itinéraire Culturel Européen (Conseil de l'Europe, en 1987), Prix du Prince des Asturies (à la Concorde, en 2004), etc.

Ces dernières années, le pèlerinage connaît un nouvel essor. Les chiffres parlent d'eux-mêmes :

Nombre de pèlerins recensés à la cathédrale
de Saint-Jacques-de-Compostelle.

ANNÉES	PÈLERINS
1987	2 905
1988	3 501
JMJ 1989	5 760
1990	4 918
1991	7 274
1992	9 764
Jubilé 1993	99 436
1994	15 863
1995	19 821
1996	23 218
1997	25 179
1998	30 126
Jubilé 1999	154 613
2000	55 004
2001	61 418
2002	68 952
2003	74 614
Jubilé 2004	179 944
2005	93 924
2006	100 377
2007	114 026
2008	125 141
2009	145 877

Statistiques de l'Archicofradía Universal
del Glorioso Apóstol Santiago (SAMI Catedral).

🐚 La pratique du rosaire

MYSTÈRES JOYEUX
(le lundi, le samedi)

Première dizaine : L'ANNONCIATION – (L'Humilité)
Deuxième dizaine : LA VISITATION – (La Charité fraternelle)
Troisième dizaine : LA NATIVITÉ – (L'Esprit de pauvreté)
Quatrième dizaine : LA PURIFICATION – (La Pureté et l'Obéissance)
Cinquième dizaine : JÉSUS RETROUVÉ AU TEMPLE – (Trouver le Christ)

MYSTÈRES LUMINEUX
(Le jeudi ajouté par Jean-Paul II en octobre 2002)

Première dizaine : Le Baptême de Jésus au Jourdain
Deuxième dizaine : Les Noces de Cana
Troisième dizaine : L'Annonce du Royaume de Dieu
Quatrième dizaine : La Transfiguration
Cinquième dizaine : L'Institution de l'Eucharistie

MYSTÈRES DOULOUREUX
(le mardi, le vendredi)

Première dizaine : L'AGONIE AU JARDIN DES OLIVIERS
(La Contrition de nos fautes)
Deuxième dizaine : LA FLAGELLATION
(La Mortification corporelle)
Troisième dizaine : LE COURONNEMENT D'ÉPINES
(La Mortification de l'orgueil)
Quatrième dizaine : LE PORTEMENT DE LA CROIX
(La Patience dans l'épreuve)
Cinquième dizaine : LA MORT DU CHRIST EN CROIX
(Le Don de soi à l'œuvre de la Rédemption)

MYSTÈRES GLORIEUX
(le mercredi, le dimanche)

Première dizaine : LA RÉSURRECTION
(La Foi)
Deuxième dizaine : ASCENSION
(Le désir du Ciel)
Troisième dizaine : PENTECÔTE
(L'esprit apostolique)
Quatrième dizaine : ASSOMPTION
(La grâce d'une bonne mort))
Cinquième dizaine : COURONNEMENT DE LA VIERGE
(La confiance dans la Sainte Vierge)

Quelques prières d'usage

JE VOUS SALUE, MARIE

Je vous salue, Marie pleine de Grâce ; le Seigneur est avec vous ; vous êtes bénie entre toutes les femmes ; et Jésus, le fruit de vos entrailles est béni.
Sainte Marie, Mère de Dieu, priez pour nous, pauvres pécheurs, maintenant et à l'heure de notre mort, Amen !

JE CROIS EN DIEU

Je crois en Dieu, le Père tout puissant, créateur du ciel et de la terre ; et en Jésus-Christ, son fils unique, notre Seigneur ; qui a été conçu du Saint-Esprit, est né de la Vierge Marie ; a souffert sous Ponce-Pilate, a été crucifié, est mort et a été enseveli ; est descendu aux enfers, est ressuscité des morts le troisième jour ; est monté aux cieux, est assis à la droite de Dieu le Père tout-puissant, d'où il viendra juger les vivants et les morts.
Je crois au Saint-Esprit, à la sainte Église catholique, à la communion des saints, à la rémission des péchés, à la résurrection de la chair, à la vie éternelle.
Amen !

NOTRE PÈRE

Notre Père qui es aux cieux,
Que ton Nom soit sanctifié ;
que ton règne vienne ; que ta volonté soit faite sur la terre comme au ciel. Donne-nous aujourd'hui notre pain de ce jour ; pardonne-nous nos offenses, comme nous pardonnons aussi à ceux qui nous ont offensés ; et ne nous soumets pas à la tentation ; mais délivre-nous du mal. Amen !

SALVE REGINA

Prière chantée, composée au xe siècle par saint Pierre de Mezonzos, évêque de Compostelle

Salve Regina,
Mater misericordiae
vita, dulcedo,
et spes nostra, salve
Ad te clamamus,
exsules filii Hevae.
Ad te suspiramus
gementes et flentes
in hac lacrimarum valle.
Eia ergo, advocata nostra,
illos tuos
misericordes oculos
ad nos converte.
Et Jesum, benedictum fructum
ventris tui,
nobis post hoc
exsilium
ostende.
O clemens, O pia, O dulcis
Virgo Maria.

PATER NOSTER

Pater noster, qui es in caelis,
santificetur nomen tuum.
Adveniat regnum tuum.
Fiat voluntas tua, sicut in caelo
et in terra.
Panem nostrum quotidianum, da
nobis hodie. Et dimitte nobis
debita nostra, sicut et nos
dimittimus debitoribus nostris.
Et ne nos inducas in tentationem.
Sed libera nos a malo.
Amen !

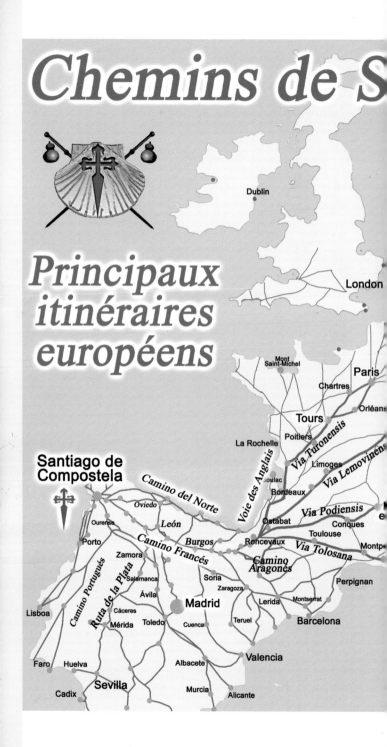

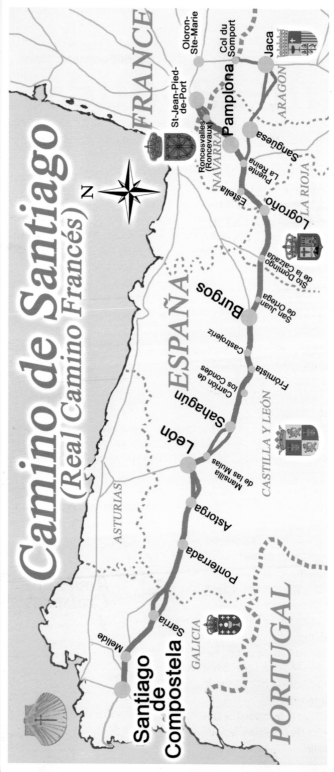

14

Numéros d'urgence
Guardia Civil, tél. : 062.
Toutes urgences tél. : 112.

🐚 Préparatifs

AVOIR TOUJOURS SUR SOI

Carte d'identité.
Credencial du Pèlerin.
Carte bancaire internationale.
Carte européenne d'assurance
maladie (Sécurité sociale).
Ordonnance en cas de traitement
médical.

MATÉRIEL CONSEILLÉ

(Liste indicative et non exhaustive)

Soyez extrêmement vigilant sur le matériel que vous allez emporter. Calculez méthodiquement le poids de vos effets.

On prétend que le sac idéal (qu'il faut évidemment régler à sa morphologie) ne doit jamais dépasser 15 % de son poids. Quoi qu'il en soit, il est quasi certain que vous emporterez un tas de choses inutiles.

Durant votre pèlerinage, vous apprendrez à faire le vide, à vous débarrasser du superflu; tant dans votre sac, que dans votre esprit.

• Un sac à dos.
• Une paire de bonnes chaussures de marche.
• Un rouleau de papier-toilettes.
• Un sac de couchage (même l'été).
• Une couverture de survie ultra-légère.
• 3 paires de chaussettes de marche.
• Un chapeau pour le soleil et la pluie.

• 3 changes de corps.
• Un short ou pantalon de marche.
• Un short ou pantalon de ville.
• Des sandales ou chaussures légères de repos.
• Une cape de pluie (poncho).
• Un pantalon de pluie (ou guêtres).
• Un bon pull chaud (même l'été).
• Une veste légère (à poches).
• Un canif multi-usage.
• Une gourde (minimum 1 litre).
• Un bourdon (bâton de marche des pèlerins) pour aider dans les montées, amortir dans les descentes, garder les chiens à distance, etc.
• Une lampe de poche.
• Un sifflet.
• Un briquet.
• Un stylo.
• Un petit carnet de notes.
• Des lunettes de soleil.
• Une petite serviette de toilette légère, vite sèche.
• Un petit appareil photo.
• Une sangle.
• Quelques pastilles chlorées pour purifier l'eau douteuse.
• Un tube de colle rapide, ultra-forte.
• Quelques morceaux de sucre.
• Une journée de nourriture d'avance.
• Un tapis de sol léger en mousse (surtout durant les périodes de grande affluence).

- Une petite gamelle en aluminium.
- Une fourchette et une cuiller en aluminium.
- Un ouvre-boîte.
- Du fil et une aiguille.
- De la cordelette.
- Un antiseptique.
- Une bande orthopédique.
- Une pommade antalgique et anti-inflammatoire.
- Quelques cachets d'aspirine et d'antidiarrhée.
- Un rouleau de sparadrap.
- Un même savon pour la toilette et la lessive.
- Un tube de dentifrice.
- Une brosse à dents.
- Une crème de protection solaire.
- Une pince ou kit coupe-ongles.
- Des intentions de prières que vous ont confiées vos proches (à déposer à la cathédrale de Compostelle).
- Un petit caillou de chez vous (à jeter au pied de la Cruz de Ferro. Voir p. 133).
- Un chapelet et les Saintes Écritures.
- Un quart en aluminium ou un gobelet.
- Une sonnette (cyclistes).

Au cas où vous souhaiteriez faire quelques marches nocturnes, il est recommandé de s'équiper de cataphotes ou de bandes réfléchissantes.

La « Credencial » du pèlerin

QU'EST-CE QUE LA « CREDENCIAL » ?

La *Credencial*, créanciale ou passeport du pèlerin est une carte personnelle nominative qui vous permettra de bénéficier des refuges, des infrastructures d'accueil, de réductions dans les musées, ainsi que divers autres avantages.

En la faisant tamponner et dater à chaque étape, elle prouve que vous suivez de façon logique le Chemin de Saint-Jacques.

Elle vous permettra également, à votre arrivée à Santiago, de vous faire remettre la COMPOSTELA, document religieux attestant de la bonne réalisation chrétienne *Pietatis Causa* de votre pèlerinage (avoir parcouru au minimum les 100 derniers kilomètres du Chemin à pied et à cheval, ou les 200 derniers à bicyclette. Sur ce dernier trajet, faites tamponner deux fois par jour.) La *Credencial* restera en votre possession à l'issue de votre pèlerinage. Ainsi, vous pourrez montrer avec fierté à votre entourage cette carte ornée de multiples tampons multicolores, tous aussi beaux les uns que les autres.

COMMENT SE PROCURER LA « CREDENCIAL » ?

On peut se procurer la *Credencial* en la demandant auprès des autorités ecclésiastiques des confréries de Saint-Jacques, des associations jacquaires ou directement à St-Jean-Pied-de-Port et Roncevaux. Elle vous sera logiquement délivrée sur présentation d'une pièce d'identité ainsi que d'une attestation émanant d'une association jacquaire ou d'une confrérie ou autorité ecclésiastique (tels que votre évêque, votre curé de paroisse, votre aumônier, etc.).

Le choix des chaussures

Ne négligez surtout pas le choix des chaussures avec lesquelles vous marcherez sur plusieurs centaines de kilomètres :
• Il n'y a pas de chaussures idéales pour tous. De bonnes chaussures

de marche sont, avant tout, des chaussures dans lesquelles vous vous sentez parfaitement bien.
• Faites de nombreux essayages et tentez de percevoir la moindre gêne ; celle qui pourrait se transformer en souffrance atroce après vingt kilomètres de marche.
• Si vous souhaitez utiliser des semelles intérieures, prenez-les avec vous lors des essayages.

Budget

Un minimum de 15 à 20 € par jour paraît raisonnable. Prévoyez aussi le retour et une réserve en cas de « pépin ».

Préparation Physique

En partant sans entraînement sur les chemins de Saint-Jacques, vous risquez de transformer votre pèlerinage en un véritable calvaire pénitentiel de plusieurs centaines de kilomètres.
Faute d'entraînement, de nombreux pèlerins sont contraints d'abandonner dès les premiers jours. Les raisons en sont presque toujours les mêmes : ampoules dues aux chaussures neuves ou mal choisies, tendinites, courbatures, manque de souffle, perte de motivation, etc.
• Afin de pallier à ces problèmes, une préparation physique est fortement recommandée avant de partir.
Faites plusieurs randonnées sur terrain accidenté, d'une distance adaptée aux étapes que vous aurez prévues (voir *Étapes à la carte*,

p. 23) avec les chaussures et la charge que vous utiliserez durant votre pèlerinage. Si votre départ est spontané, commencez par de courtes étapes.

Par négligence, chaque année, quelques pèlerins trouvent la mort sur le Camino.

Avant de partir, il est recommandé de passer une visite médicale et de prendre évidemment en compte l'avis de votre médecin.

Le comportement du pèlerin moderne

« LE PÈLERIN N'A AUCUN DROIT ; IL N'A QUE DES DEVOIRS ! »

Vous êtes évidemment libre de ne pas suivre les recommandations suivantes ! Après, c'est une question de conscience personnelle.

Compte tenu de l'essor que connaît actuellement le Chemin de Saint-Jacques, il n'est pas inutile de rappeler aux pèlerins quelques règles morales de savoir-vivre, en harmonie avec autrui, avec la nature, etc.

La conséquence directe de cette « mode compostellane » est l'arrivée d'un certain nombre de touristes, d'illuminés, de jacobins irrespectueux, de retraités exigeants et de randonneurs désirant ajouter la *Compostela* à leur palmarès sportif. On peut y observer la fâcheuse « course aux refuges » : pratique sportive consistant à faire hurler un réveil dans un refuge avant le lever du jour, à cavaler sur le Camino (faisant fi des personnes, des monuments et des offices religieux), à arriver à la mi-journée au refuge suivant pour s'accaparer un lit et, le soir venu, à invectiver les riverains et les pèlerins usant des coutumes et des horaires locaux. Ne vaut-il mieux pas perdre un lit que son Pèlerinage ? On y voit également de nombreux pèlerins « ultra-light » ou « tire-au-flanc » surchargeant les infrastructures du Camino et usant de tous les procédés imaginables (parfois les plus vicieux) : voiture d'appui, certificats médicaux bidons, transport des sacs, voyage en car, voitures cachées, etc.

ENVERS LES GENS, EN GÉNÉRAL

Le pèlerin représente une tradition et un rituel millénaire. Il doit en être digne !

• Soyez courtois et serviable envers les populations locales que vous allez rencontrer. Respectez les gens, leurs traditions et leurs coutumes. Évitez de les railler par pur excès de chauvinisme déplacé. D'autant que nombre d'entre eux sont lassés de voir passer chaque année sous leur fenêtre plus de 100 000 marcheurs. Vous n'êtes que de passage chez eux. Essayez aussi de faire un petit effort, en apprenant à vous exprimer, même sommairement, dans leur langue (voir lexique).

• Ne vivant pas en Espagne, et n'étant donc pas au fait de la situation, évitez les prises de position politique trop marquées, notamment concernant le séparatisme régional. De même, vous apprendrez à relativiser ce que vous avez pu apprendre à l'école, et dans les médias de la «pensée unique», sur la très sanglante guerre civile espagnole (1936-1939). Bien que des atrocités aient été commises des deux côtés, le clergé et la population chrétienne espagnole sont encore profondément marqués par les milliers d'églises et monastères profanés, pillés, brûlés, et les 30 000 curés, moines et moniales, massacrés par les Rouges.

• Soyez discret et respectueux des motivations qui animent les autres pèlerins.

• Si vous utilisez une voiture d'appui ou un service de transport de sacs, ayez au moins l'élégance de le faire discrètement, et d'attendre l'arrivée du dernier pèlerin chargé, avant d'entrer dans le refuge.

• Restez humble quant à vos kilomètres réalisés. Dites-vous bien que des millions d'autres pèlerins ont fait mieux avant vous, et que vous trouverez toujours votre maître en la matière. Gardez-vous

de ne pas transformer votre pèlerinage en un Camino d'orgueil.

• Vols : cela peut arriver, hélas !
 – Ne laissez pas votre équipement sans surveillance.
 – Ne montrez pas votre argent.
 – Ne laissez pas à la vue de tous des objets de valeur. Une veste à poches vous permettrait de prendre toujours sur vous le plus important.

SUR LE CHEMIN

• Respectez la nature et l'environnement (ne laissez pas traîner d'ordures).

• Dans les régions arides, évitez de faire vos besoins sous des arbres qui, lors des jours de forte chaleur, peuvent constituer les seuls lieux ombragés du Chemin. Pensez aux pèlerins et pèlerines épuisés, âgés ou en détresse.

• Respectez les lieux de culte. N'entrez pas dans une église comme un «Messie» en terrain conquis. Vous ne valez pas plus que le fidèle lambda.

DANS LES REFUGES

• Ne critiquez pas les refuges : ils sont tous providentiels ! Au cas où ils ne vous conviendraient pas, des hôtels, pensions ou *fondas*, sont certainement à votre disposition à proximité. Il n'est pas non plus interdit de financer ou de participer à la construction d'un nouveau et magnifique refuge parfait.

• Respectez les horaires et le règlement intérieur des refuges. Même si un bon esprit de convivialité existe souvent, vivre plusieurs semaines dans la promiscuité n'est pas toujours chose facile. Chacun doit faire un petit effort de sociabilité sur lui-même. Évitez aussi de fumer si cela est défendu ou indispose autrui.

• La participation aux frais de fonctionnement des refuges est souvent imposée mais parfois libre. Cependant, même si vous n'êtes pas bien riche, faire un don, si modeste soit-il, est important pour se responsabiliser et ne pas trop se sentir assisté. De nombreux refuges ne perçoivent aucune subvention, et ne vivent que par vos dons. Ces accueils traditionnels doivent être soutenus. Avec le nouvel essor du pèlerinage, les cœurs se sont fermés pour faire place à la loi de la rentabilité (?? lits x participation = ?? €/jour).

Si vous êtes sans le sou, par vœu ou par nécessité, cherchez un abri (porche d'église) et optez pour l'option bivouac.

• Respectez les personnes en charge des refuges *(hospitaleros)*. Généralement, celles-ci exercent leurs fonctions de façon volontaire et bénévole. Accessoirement, proposez de leur apporter votre aide dans leurs tâches.

• Si vous comptez partir en groupe, utilisez un véhicule d'intendance et des tentes afin de ne pas surcharger les refuges. Les douches sont généralement négociables avec les *hospitaleros*.

• Si vous partez marcher une ou deux semaines par an sur le Camino, laissez donc votre place à celle ou celui qui le parcourt en une fois, sur de longues semaines ; voire de longs mois.

• Offrez courtoisement les meilleures places à d'autres, plus malades ou plus fatigué(e)s que vous.

• Respectez le sommeil des pèlerins en vous couchant silencieusement le soir et en vous levant discrètement le matin (attention aux bruits de sacs en plastique). N'imposez pas vos horaires et votre rythme aux autres. Éteignez donc votre téléphone mobile et surtout, n'utilisez pas de réveil ou d'alarme.

• Il n'est pas d'usage de réserver sa place dans les refuges espagnols. Respectez les priorités d'accueil qui généralement sont les suivantes :

1. Pèlerins à pied partis en pèlerinage depuis le plus longtemps (en une fois).
2. Pèlerins à pied.
3. Pèlerins à cheval.
4. Pèlerins à vélo.
5. Pèlerins à pied avec voiture d'appui.
6. Pèlerins à vélo avec voiture d'appui.

EN BIVOUAC

Les lieux de bivouac sauvage sont généralement pourvus d'un abri et d'un point d'eau. Elles sont indiquées par la colonne « BIV » des tableaux. En aucun cas il ne s'agit d'une autorisation. Parfois zones privées, le bivouac y est tout juste toléré. Tâchez donc d'être extrêmement discret et exemplaire. Ne laissez aucune trace de votre bivouac ; au besoin, nettoyez le lieu. Il est probable que vous y dormiez mieux qu'en gîte : pas de ronfleurs, de réveils, de punaises, d'horaires, etc.

Quelques recommandations personnelles

FIXER UNE DATE DE DÉPART

• L'une des principales difficultés du pèlerinage est de se fixer une date de départ et de s'y tenir.
Si vous choisissez de partir en hiver, équipez-vous en conséquence et sachez que les journées seront plus courtes, que le Chemin sera bien plus tranquille, mais que certains refuges seront fermés.
La majeure partie du Chemin en Espagne est en altitude. Les nuits sont donc froides (même l'été).

PARTIR DE CHEZ SOI

• Essayez de partir de chez vous ou d'un lieu auquel vous êtes particulièrement attaché (du village de vos ancêtres, d'un sanctuaire que vous portez dans votre cœur, etc.). Vous vous conformerez ainsi à la tradition et pourrez établir une liaison directe entre votre vie terrestre et votre vie spirituelle.
• Si vous êtes un pèlerin sincère, peu vous importera de vous faire piquer votre place par des touristes égoïstes et autres coquillards. Ne vous mettez pas en pétard. Priez plutôt pour eux. Ils se dupent eux-mêmes et sont en train de rater leur pèlerinage, leur conscience, leur vie d'honnête homme et leur salut.
De ce lieu de départ, à l'aide de cartographie, établissez un itinéraire en ralliant la voie historique la plus logique qui vous mènera aux portes de l'Espagne (la via Turonensis, la via Lemovicencis, la via Podiensis ou la via Tolosana). Aussi, le fait de fermer votre porte et de vous éloigner peu à peu de votre « chez vous » vous permettra de découvrir votre région et de parfaitement intégrer l'itinéraire dans votre esprit.

FAIRE LE CHEMIN EN UNE FOIS

• Si forte que soit la pression de la société, tentez de parcourir le Chemin en une fois. Il faut un certain temps pour entrer dans l'esprit du Chemin. Je pense que le temps de déconnexion avec votre vie de tous les jours est l'une des clés de la réussite de votre pèlerinage.
Sachant aussi qu'il faut bien une dizaine de jours pour vous faire les jambes ; vous aurez aussi beaucoup de mal à réamorcer l'organisme à chaque fois.

LE TEMPS

• En ayant prévu du temps, vous ne serez pas obligé de pousser trop sur la machine et, par conséquent, vous éviterez les problèmes physiques qui en résultent. Une petite marge de temps supplémentaire vous permettra d'être plus libre et de mieux profiter des bons moments.

PARTIR SEUL(E)

• En partant seul(e), vous offrez à votre démarche un maximum de liberté et apprendrez à vous responsabiliser ; à prévoir.

En outre vous pourrez aller à votre rythme, sans avoir à vous adapter à celui d'autrui.

Vous pourrez alors choisir vos haltes et vos étapes à votre guise, en toute liberté. Et, si la solitude vous pèse, vous n'aurez aucun mal à trouver de la compagnie parmi les pèlerins avec lesquels vous avez des affinités.

BOIRE BEAUCOUP

• L'organisme, surtout au soleil et en plein effort, nécessite beaucoup d'eau pour fonctionner correctement. Les muscles et les tendons ont besoin d'eau en grande quantité et, si vous voulez pallier à la plupart des problèmes, vous devez en boire un maximum. À part lors des années de grande sécheresse, vous n'aurez pas trop de mal à trouver des fontaines sur le Chemin.

S'ALIMENTER

• Ayez toujours à portée de main quelque chose d'énergétique à grignoter (fruits secs, biscuits sucrés et salés, etc.).

AÉRER ET SÉCHER VOS PIEDS

• Dès que l'occasion se présente, déchaussez, inspectez et soignez vos pieds à chaque pause.
Vous en profiterez pour sécher et refroidir chaussures et chaussettes et éviter ainsi une quelconque macération.
Enduisez-vous les pieds de crème anti-brûlures ou de vaseline. En cas

d'ampoule, percez-la sur plusieurs points (tentez de garder la peau pour protéger). Désinfectez bien et posez une gaze fixée par du sparadrap. Contrôlez et soignez régulièrement. Évitez l'usage du fil et de la «double-peau» qui peuvent être sources d'infection. En cas de doute, consultez un médecin.

LE RETOUR

• Le retour à la maison est toujours un moment difficile. Il vous faut une période d'adaptation pour pouvoir intégrer votre pèlerinage à votre vie de tous les jours. Nombreux sont les pèlerins qui gardent grande nostalgie de cette aventure; parfois la plus belle de leur vie.
Aussi, pouvez-vous prendre contact avec d'anciens pèlerins, aider les confréries et les associations jacquaires dans leurs tâches.
Vous pourrez également vous porter volontaire pour effectuer des périodes dans des refuges pour y accueillir les pèlerins et ainsi apporter votre contribution, votre pierre à l'édifice.
Vous passerez ainsi de l'autre coté du miroir et pourrez réaliser un autre Chemin parallèle.

🐚 Étapes à la carte

Les tableaux ci-joints peuvent vous aider à moduler à votre guise les étapes de votre pèlerinage, en tenant compte de vos capacités physiques, de vos disponibilités, de vos intérêts culturels, etc. Le descriptif de ce guide est calqué sur la proposition d'un parcours en 33 jours. Cependant, la meilleure façon de réaliser votre pèlerinage est probablement celle en 43 jours à pied, et en 20 jours à vélo. Ainsi, vous pourrez mieux profiter du Chemin, des édifices, des contacts, etc. Évidemment, ces informations ne vous sont données qu'à titre indicatif.

Tâchez donc de rester libre !

J	Villes, villages, sites	KM	Bivouac-Refuge
	À VÉLO EN 5 JOURS		
1	Saint-Jean-Pied-de-Port – Estella*	112,5	REF
2	Estella – Burgos	172,9	REF
3	Burgos – León	179,7	REF
4	León – O Cebreiro**	158,1	BIV/REF
5	O Cebreiro – Santiago***	159,5	REF

* Par la route de Valcarlos
* * Par la route de Villadangos
*** Par la route de Samos

J	Villes, villages, sites	KM	Bivouac-Refuge
	À VÉLO EN 13 JOURS		
1	St-Jean-Pied-de-Port – Larrasoaña	51,1	REF
2	Larrasoaña – Estella	61,4	REF
3	Estella – Navarrete	61,1	REF
4	Navarrete – Belorado	61,9	REF
5	Belorado – Hornillos del Camino	70,5	BIV/REF
6	Hornillos – Carrión de los Condes	63,5	REF
7	Carrión de los C. – Reliegos	70	REF
8	Reliegos – Hospital de Órbigo	61,4	REF
9	Hospital De Órbigo – Molinaseca	62,6	BIV/REF
10	Molinaseca – O Cebreiro	61,5	BIV/REF
11	O Cebreiro – Portomarín	61,6	BIV/REF
12	Portomarín – Arzúa	54,5	REF
13	Arzúa – Santiago	39,4	REF

J	Villes, villages, sites	KM	Bivouac-Refuge
	À VÉLO EN 8 JOURS		
1	St-Jean-Pied-de-Port – Cizur Menor	73,1	BIV/REF
2	Cizur Menor – Navarrete	103	REF
3	Navarrete – Burgos	111,8	REF
4	Burgos – Terradillos	110,5	REF
5	Terradillos – Hospital de Órbigo	103,1	REF
6	Hospital de Órb. – Vega de Valcarcel	111,7	REF
7	Vega de Valcarcel – Palas do Rei	99,8	REF
8	Palas do Rei – Santiago	68,1	REF

J	Villes, villages, sites	KM	Bivouac-Refuge
	À PIED OU À VÉLO EN 20 JOURS		
1	St-Jean-Pied-de-Port – Roncesvalles	26,7	BIV/REF
2	Roncesvalles – Trinidad de Arre	37,6	REF
3	Trinidad – Puente La Reina	29,1	REF
4	Puente La Reina – Los Arcos	43,3	BIV/REF
5	Los Arcos – Navarrete	39,4	REF
6	Navarrete – Santo Domingo de la Calzada	38,7	REF
7	Santo Domingo – San Juan de Ortega	47,3	BIV/REF
8	S. Juan de O. – Hornillos del Camino	46,4	BIV/REF
9	Hornillos del Camino – Frómista	44,6	REF
10	Frómista – Calzadilla de la Cueza	36,2	REF
11	Calzadilla – El Burgo Ranero	40	REF
12	El Burgo Ranero – León	38,3	REF
13	León – Astorga	53,2	REF
14	Astorga – Molinaseca	45,2	REF
15	Molinaseca – Vega de Valcarcel	49,1	REF
16	Vega de Valcarcel – Triacastela	33,4	BIV/REF
17	Triacastela – Portomarín	40,6	BIV/REF
18	Portomarín – Melide	40,4	REF
19	Melide – Pedrouzo, Arca O Pino	32,9	REF
20	Arca O Pino – Santiago	20,6	REF

J	Villes, villages, sites	KM	Bivouac-Refuge
	À PIED EN 33 JOURS – (Étapes du guide)		
1	St-Jean-Pied-de-Port – Roncesvalles	26,7	BIV/REF
2	Roncesvalles – Larrasoaña	26,9	REF
3	Larrasoaña – Pamplona	15,1	REF
4	Pamplona – Puente La Reina	24,7	REF
5	Puente La Reina – Estella	21,6	REF
6	Estella – Los Arcos	21,7	REF
7	Los Arcos – Logroño	28,3	REF
8	Logroño – Nájera	29	REF
9	Nájera – Sto Domingo de la Calzada	20,8	REF
10	Sto Domingo de la Calzada – Belorado	23,2	REF
11	Belorado – San Juan de Ortega	24,1	BIV/REF
12	S. Juan de O. – Burgos	25,8	REF
13	Burgos – Hornillos del Camino	20,6	BIV/REF
14	Hornillos del Cam. – Castrojeriz	20	REF
15	Castrojeriz – Frómista	24,6	REF
16	Frómista – Carrión de los Condes	18,9	REF
17	Carrión – Calzadilla de la Cueza	17,3	REF
18	Calzadilla de la Cueza – Sahagún	22,7	REF
19	Sahagún – Mansilla de las Mulas	36,3	REF
20	Mansilla de las Mulas – León	19,3	REF
21	León – Hospital de Órbigo	35,8	REF
22	Hospital de Órbigo – Astorga	17,4	REF
23	Astorga – Rabanal del Camino	19,8	REF
24	Rabanal del Cam. – Ponferrada	33,2	REF
25	Ponferrada – Villafranca del Bierzo	24,9	REF
26	Villafranca del B. – O Cebreiro	28,8	BIV/REF
27	O Cebreiro – Triacastela	21	BIV/REF
28	Triacastela – Sarria	18,1	REF
29	Sarria – Portomarín	22,5	BIV/REF
30	Portomarín – Palas Do Rei	25,8	REF
31	Palas do Rei – Ribadiso de Baixo	25,5	REF
32	Ribadiso – Pedrouzo, Arca O Pino	22	REF
33	Arca O Pino – Santiago	20,6	REF

J	Villes, villages, sites	Km	Bivouac/ Refuge
	À PIED EN 43 JOURS		
1	Saint-Jean-Pied de Port – Bentarte (Leizar Ateka)	16,8	BIV (1345 m)
2	Bentarte – Espinal/Aurizberri	16,4	BIV
3	Espinal – Ilarraz	17,7	BIV
4	Ilarraz – Pamplona	17,8	REF
5	Pamplona – Uterga	17,2	BIV/REF
6	Uterga – Cirauqui	15,6	BIV/REF
7	Cirauqui – Irache	16,8	BIV
8	Irache – Los Arcos	21,9	BIV/REF
9	Los Arcos – La Virgen de Cuevas	21,4	BIV
10	La Virgen de Cuevas – Navarrete	18	REF
11	Navarrete – Azofra	23,5	BIV/REF
12	Azofra – Grañón	22,3	BIV/REF
13	Grañón – Tosantos	21	REF
14	Tosantos – Agés	22,8	REF
15	Agés – Burgos	22,2	REF
16	Burgos – Fuente de Praotorre	15,4	BIV
17	Praotorre – Hontanas	15,8	BIV/REF
18	Hontanas – Puente Fitero (Itero del Castillo)	18,2	BIV/REF
19	Puente Fitero – Población de Campos	19,5	REF
20	Población – Carrión de los Condes	16,1	REF
21	Carrión – Calzadilla de la Cueza	17,3	BIV/REF
22	Calzadilla de la Cueza – San Nicolás del Real Camino	15,2	BIV/REF
23	San Nicolás – Bercianos del Real Camino	17,1	REF
24	Bercianos – Reliegos de las Matas	20,4	REF
25	Reliegos – Valdelafuente	18,4	BIV
26	Valdelafuente – La Virgen del Camino	14,7	REF
27	La Virgen del Camino – Villar de Mazarife	14	BIV/REF
28	Villar de Mazarife – Santibáñez de Valdeiglesias	19	REF
29	Santibáñez – Santa Catalina de Zomoza	21,4	BIV/REF
30	Santa Catalina – Manjarín del Puerto	21,1	REF
31	Manjarín – Ponferrada	22,5	REF
32	Ponferrada – Valtuille	20	BIV
33	Valtuille – Vega de Valcarcel	21,3	REF
34	Vega de Valcarcel – Padornelo	20,5	BIV (1280 m)
35	Padornelo – Samos	23	REF
36	Samos – Barbadelo	19,3	BIV/REF
37	Barbadelo – Portomarín	18,2	BIV/REF
38	Portomarín – Vilar de Donas	22,2	BIV
39	Vilar de Donas – Furelos	19 ,1	BIV
40	Furelos – Arzúa	16,2	REF
41	Arzúa – Pedrouzo Arca	18,8	REF
42	Arca – San Marcos del Monte do Gozo	15,7	BIV/REF
43	Monte do Gozo – Santiago de Compostela	4,9	REF

Descriptif du **Chemin** de **Saint-Jacques** étape par étape

AVERTISSEMENT

Les informations qui vous sont données ont toutes été récemment vérifiées à pied.

Cependant, le Chemin est en perpétuelle évolution ; victime de son succès : de nouveaux hébergements et des commerces fleurissent un peu partout. Les travaux de l'autoroute *Camino de Santiago* et de l'« A.V.E. » (Train à grande vitesse) occasionnent désagréments et quelques déviations, une fontaine peut subitement se tarir ou être déclarée *No Potable*, etc.

Une nouvelle loi sur l'hébergement en Espagne a été votée, sa mise en application étant en cours, les prix indiqués sont susceptibles d'être modifiés.

DE **Saint-Jean-Pied-de-Port/ Donibane Garazi (gare SNCF)** *À* **Roncesvalles/Orreaga**

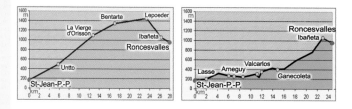

Saint-Jean-Pied-de-Port

Cette étape est certainement la plus difficile jusqu'à Santiago. Le dérouillage musculaire ainsi que la très forte dénivellation en sont certainement les causes : 1300 mètres de montée suivie d'une forte descente (sur 4,5 km). En revanche, les magnifiques paysages de montagne traversés en font aussi l'une des plus belles étapes du Chemin. Il faut se lever très tôt et prévoir de quoi s'alimenter. Après les efforts fournis durant cette première et rude journée de marche, l'arrivée à Roncevaux, haut lieu de la chrétienté occidentale, est souvent perçue comme un soulagement providentiel.

En Navarre et dans La Rioja, le Chemin de Saint-Jacques coïncide très souvent avec le GR 65 (qui fut balisé pour l'année jacquaire 1965). Cependant, tâchez de vous familiariser d'ores et déjà avec le fiable fléchage jaune qui vous mènera jusqu'à Santiago de Compostela.

Chemin

Avant de sortir des fortifications de Saint-Jean-Pied-de-Port, **deux itinéraires s'offrent à vous :**

A · En montagne, par la route Napoléon (ou route du Maréchal-Harispe) :
Sortez des fortifications par la **Porte d'Espagne**. Il s'agit d'une rude et longue ascension par une petite route de bergers peu fréquentée. Juste après Untto, le chemin part à gauche et coupe une grande courbe de la route pour la retrouver plus loin, peu avant le refuge Orisson. Suivez-la en grimpant sur de nombreux kilomètres jusqu'à la Vierge d'Orisson puis la « Croix Thibaud ». Là, devant cette Croix, prenez le sentier qui monte pour passer le col (minuscule abri de pierre). Peu après, vous arrivez devant une borne frontière puis la **fontaine de Roland**. Vous entrez en Espagne. Le chemin continue à travers les pâturages et petits bois de montagne et monte (par une piste) jusqu'au **col de**

Lepoeder. En redescendant, vous croiserez une petite route (ancien chemin de pèlerins). Notamment s'il s'agit de votre première étape, il vous est vivement recommandé de suivre celle-ci. Descendez-la pour, sans détour, découvrir un magnifique panorama jusqu'au **Puerto de Ibañeta**. Là, se dressent une chapelle ainsi qu'un monument érigé en mémoire de Roland et de la fameuse bataille de Roncevaux. Là, par un sentier qui descend derrière la maison ornithologique, vous n'êtes plus qu'à 1,6 km de l'impressionnante **Real Colegiata de Roncesvalles**.

Du Lepoeder, on peut également préférer le tuant et mystérieux chemin forestier d'en face, suivant une ancienne voie romaine, allant à Roncesvalles; direct, sans passer par Ibañeta.

B • Par Valcarlos (ancien chemin historique également):
Ce passage offre cependant une excellente alternative aux pèlerins, lorsque les conditions climatiques sont défavorables voire dangereuses pour emprunter le chemin de montagne.
Prenez le chemin de Mayorga à la sortie de Saint-Jean, peu après la **Porte d'Espagne**. Rejoignez et suivez la route D.933/N.135 sur environ un kilomètre. Traversez la Nive par une petite route à droite qui rejoint le bas de **Lasse**. Suivez la petite route vers la gauche (sud) sur près de 4 km jusqu'à la Ferme de **Caricaburua**, puis 1 km jusqu'aux supermarchés frontaliers des **Ventas**. Vous êtes donc en Espagne. En longeant par intermittence la route sur 1, 6 km, vous arrivez à **Arneguy**.
Traversez le village et la frontière matérialisée par la Nive. Longez le fronton et suivez une petite route jusqu'à **Ondarolle**. Descendez vers la Nive, retraversez-la près d'une station d'épuration et montez fortement sur **Valcarlos**. Sortez de Valcarlos par la N.135 et suivez-la sur environ 2,5 km. Peu avant le **km 61**, prenez la petite route à gauche qui descend fortement sur **Gañecoleta**. Traversez le hameau, le rio, et prenez à droite un sentier herbeux et bientôt forestier. Remontez sur la route internationale et suivez-la. **Attention ! 900 m environ après le km 58**, ne ratez pas la piste qui descend à gauche, traverse le rio et remonte fortement entre bois et prairies. Suivez, toujours en remontant les lignes électriques et vous arrivez au **col d'Ibañeta**.

🐚 Villes, villages et sites traversés entre SAINT-JEAN-PIED-DE-PORT et RONCESVALLES

INFORMATIONS PRATIQUES

FON	Fontaine	**CAS**	Casse-croûte	**Alt.**	Altitude
REF	Refuge de pèlerins	**PH**	Pharmacie	**HOT**	Hôtel, pension
BAR	Bar, café, buvette	**DAB**	Dist. auto. de billets	**E**	À l'écart du Camino
RES	Restaurant	**BIV**	Bivouac sauvage	**é**	Seulement l'été
ALI	Magasin d'alimentation	**C**	chambre, pension, Casa Rural, etc.		

Distances	Villes, villages, sites	Alt.	FON	REF	BAR	ALI	CAS	RES	HOT	DAB	PH	BIV
- 783 km	Saint-Jean-Pied-de-Port	170	✪	✪	✪	✪	✪	✪	✪	✪	✪	✪
à 5,6 km	Untto (de Saint-Michel-P.-de-Port)	490	✪	✪	✪		✪	✪	C			
à 2,6 km	Refuge Orisson	800	✪	✪	✪		✪	✪				
à 4,3 km	Vierge Biakorri d'Orisson	1100										E
à 3,9 km	Croix Thibaud on quitte la route	1225										
à 0,4 km	Col de Bentarte (Leizar Atheka)	1345										✪
à 1,2 km	Fontaine de Roland (frontière)	1320	✪									
à 1,9 km	Bergerie, fontaine douteuse	1295	✪									
à 2,2 km	Col de Lepoeder	1450										
à 3,0 km	Puerto de Ibañeta	1055										
à 1,6 km	Roncesvalles	960	✪	✪	✪		✪	✪	✪	✪		✪

Alternative B, entre Saint-Jean et Roncevaux, par Valcarlos

Distances	Villes, villages, sites	Alt.	FON	REF	BAR	ALI	CAS	RES	HOT	DAB	PH	BIV
- 780,5 km	Saint-Jean-Pied-de-Port	170	✪	✪	✪	✪	✪	✪	✪	✪	✪	✪
à 2,2 km	Base de Lasse	200										
à 3,8 km	Ferme Caricaburua	260	✪									✪
à 1,0 km	Ventas	240			✪	✪	✪	✪				
à 1,6 km	Arneguy	245	✪		✪	✪	✪	✪	✪			
A 2,7 km	Ondarolle	325										
A 0,8 km	Valcarlos	365	✪	✪	✪	✪	✪	✪	✪		✪	
A 3,2 km	Ganecoleta	395										
A 7,3 km	Puerto de Ibañeta	1055										
A 1,6 km	Roncesvalles	960	✪	✪	✪		✪	✪	✪	✪		✪

REFUGES

SAINT-JEAN-PIED-DE-PORT

• Refuge municipal. Agréable et confortable. 28 places. Cuisine. 55, rue de la Citadelle; mais s'adresser au 39 (accueil St-Jacques). Tél.: 05 59 37 05 09. 8 €.

• Accueil paroissial « Kaserna » de 12 places ouvert en 2009 au 43, rue d'Espagne. De mars à octobre. Tél.: 06 28 72 22 86. ✝

• Gîte « Le chemin vers l'étoile » dans une très belle maison typique. Jardin, cuisine. 21, rue d'Espagne. 18 places. 15 €. Tél.: 05 59 37 20 71.

• Madame Etchégoin. N'accueillant pas exclusivement des pèlerins, ce gîte offre une excellente alternative. Cuisine, 12 places. 9, route de Bayonne. Tél.: 05 59 37 12 08.

• Gîte privé « L'Esprit du Chemin », ouvert par d'anciens pèlerins hollandais (Huberta et Arno). Cuisine.

40, rue de la Citadelle. 18 places. Tél. : 05 59 37 24 68.
• Refuge «Ultreïa», 8 rue de la Citadelle. Tél. : 06 80 88 46 22.
• Refuge «Esponda». 14 places, cuisine. Tél. : 06 79 07 52 52. 12/14 €.
• Refuge «Zuharpeta». 14 places. Tél. : 05 59 37 35 88/06 21 30 03 05. 12 €.
• Gîte privé «Sur le Chemin… au chant du coq.» 36, rue de la citadelle. Tél. : 06 74 31 02 83.
• Gîte privé «Compostella». 6, rue d'Arnéguy. De mars à décembre. 14 places. Tél. : 05 59 37 02 36/ 06 84 97 70 78. 12/15 €.
• Gîte privé «Zazpiak Bat». 13 bis, route du M^{al} Harispe. Ouvert toute l'année. 18 places. Tél. : 05 59 49 10 17/06 75 78 36 23. 18 €.
• On trouve également plusieurs chambres à louer chez l'habitant. Office du tourisme : 05 59 37 03 57.

UNTTO (de Saint-Michel-Pied-de-Port)
• Ferme Ithurburia. Gîte d'étape et refuge de 40 places. Repas proposés par Mme Ourtiague. Magnifique panorama. Tél. : 05 59 37 11 17.

ORISSON
• «Refuge Orisson», privé (2,6 km après Untto). Vue exceptionnelle sur la Basse Navarre. Ce gîte permet aux pèlerins de pouvoir couper cette redoutable étape. Surtout si vous arrivez à St-Jean trop tard pour vous lancer dans la traversée des Pyrénées et assez tôt pour parcourir les quelques kilomètres qui vous mènent jusqu'ici. 18 places. M. Etchandi. Tél. : 05 59 49 13 03 et 06 81 49 79 56.

VALCARLOS
• Refuge municipal moderne. 24 places. Cuisine. Ouvert toute l'année. Tél. : 948 79 01 17 (mairie)/ 01 89 (refuge).

RONCESVALLES
• Accueil de pèlerins dans un ancien bâtiment géré par les chanoines de la Real Colegiata. Cadre grandiose, austère, mystérieux. Pas de cuisine. Tél. : 948 76 00 00. Selon les disponibilités, on vous orientera vers le nouveau refuge, le camping ou les bungalows. Un refuge de 190 places devrait voir le jour en 2011, dans l'édifice même.

À VOIR ET À SAVOIR

SAINT-JEAN-PIED-DE-PORT (Sanctus Johanes Pedis Portus)
• La ville fortifiée de Saint-Jean était, jusqu'en 1530, le chef-lieu du bailliage d'Ultraports (dépendant du Royaume de Navarre).
• **Église St-Jean-Baptiste (N.-D. du bout du Pont).**
• **Citadelle médiévale** (en partie remaniée par Vauban). Aller voir aussi la porte Saint-Jacques (d'où arrivent les pèlerins), **la prison des Évêques, le pont Saint-Michel et la porte d'Espagne.**
• **Route Napoléon** (ou Route du Maréchal-Harispe) : ancienne voie romaine passant par les Ports de Cize.

VALCARLOS (le Val de Charles)
• Lors de la bataille de Roncevaux, le futur empereur Charlemagne y avait établi son campement quand fut attaqué l'arrière de son armée.

COL DE LEPOEDER
• Là, selon la légende, Charlemagne aurait planté une croix de bois en priant saint Jacques. Aussi, la tradition veut que chaque pèlerin y plante sa petite croix et dise une prière vers le couchant.

IBAÑETA

• Lieu présumé de la bataille de Roncevaux (voir plus bas).

• **Ermita del San Salvador** (chapelle du Saint-Sauveur) : elle conserve la cloche qui, jadis, guidait les pèlerins perdus dans la montagne. Tombée en ruine, une nouvelle chapelle fut érigée à la même place en 1965.

RONCESVALLES (Roncevaux)

• Haut lieu de la spiritualité occidentale, Roncesvalles fut l'un des plus grands hôpitaux de pèlerins. Fondé vers 1130, celui-ci servait, au Moyen Âge, jusqu'à 30 000 repas par an aux pèlerins.

• **La bataille de Roncevaux :** terrible bataille ayant eu lieu le 15 août 778. Elle opposait les armées franques de Charlemagne aux Maures alliés aux Basques, fâchés après le sac de Pampelune. Durant celle-ci, les Francs ont perdu douze pairs du Royaume ainsi que Roland, neveu de Charlemagne.

• **La Collégiale Royale** (XIIᵉ siècle) : gérée par les chanoines réguliers de saint Augustin, on peut y admirer son imposante architecture. L'église gothique du XIIIᵉ siècle abrite la très vénérée Vierge de Roncevaux (en bois recouvert d'argent, du XIIIᵉ siècle), devant laquelle, depuis toujours, les pèlerins ont coutume d'entonner le *Salve Regina* (voir Prières, p. 11).

• Dans la **chapelle San Augustín**, se trouve le **tombeau du roi de Navarre Sancho VII «El Fuerte»** (le Fort). On peut également y voir les chaînes que ce roi a arrachées au campement du sarrasin Miramamolin lors de la victoire chrétienne de la Navas de Tolosa. Ces chaînes, symboles de la Navarre, figurent sur les armes de ce pays. À l'extérieur de la Collégiale se trouvent la **chapelle Santiago** ainsi que le **Silo de Charlemagne** : charnier de pèlerins, bâti sur un autre plus ancien. Celui-ci renfermerait aussi les restes des nombreuses victimes de la bataille de Roncevaux et des pèlerins.

PERSONNAGES DU CAMINO

• Jeannine (de St-Jean.P.P.)
Employée depuis des années à l'entretien du refuge municipal, elle se plaît souvent à discuter avec les pèlerins et à les encourager.

• Don Javier Navarro
 (de Roncesvalles)
Le chanoine Navarro, francophone, s'occupe (entre autres) de l'accueil des pèlerins à la collégiale de Roncevaux.
Il fut le premier à flécher le Chemin à la peinture jaune (de Roncesvalles jusqu'à Logroño).

OÙ MANGER CONVENABLEMENT ?

SAINT-JEAN-PIED-DE-PORT
• *Cidrerie Hurrup Eta Klik.*
• *Chez Dédé.*
• *Les Pyrénées (gastronomique).*

HORAIRES DES MESSES

Villes, villages, sites	Semaine	Samedi	Dimanche et fêtes
Saint-Jean-Pied-de-Port	L/M/M/J à 19 h 00 (18 h en hiv.)		8 h 30 (en basque), 11 h 00
Roncesvalles	20 h 00	18 h 00, 19 h 00 (été)	Idem + 8 h 30, 12 h 00

DE **Roncesvalles/Orreaga**
À **Larrasoaña**

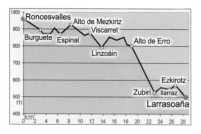

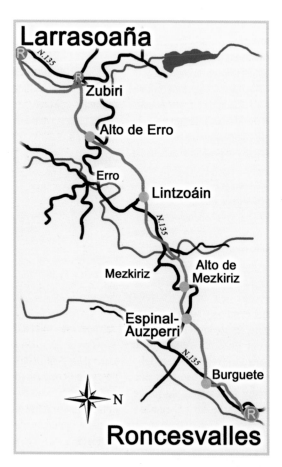

Descente en plaine de Navarre

Cette étape, ponctuée de magnifiques paysages et de ravissants villages, sera également très difficile et fatigante, compte tenu de sa longueur, des ascensions et de la forte descente en plaine qu'elle inflige. Celle-ci s'avérera très éprouvante pour les articulations. Essayez de rester le plus souple possible sur vos jambes, d'amortir les secousses de la descente à l'aide de votre bâton et de faire attention à ne pas déraper sur des pierres glissantes ou branlantes.

Prenez de l'eau à Lintzoáin.

À VTT notamment à partir de l'Alto de Erro, il est vivement recommandé de prendre la route, tant la descente est raide par le sentier.

🐚 Chemin

Vous quittez Roncesvalles par la route. Prenez ensuite un petit chemin à droite de la route, parallèle à celle-ci passant devant la **Croix des Pèlerins**.

Arrivé à **Burguete**, prenez un chemin (sur votre droite, à la hauteur d'une banque). Il vous faudra alors monter puis redescendre sur **Espinal**. Dans ce village, montez par une piste (sur votre gauche, après une fontaine). Traversez des pâturages et des sous-bois puis croisez bientôt la N.135, au bord de laquelle se dresse la **stèle de la Vierge de l'Alto** (ou Puerto) **de Mezkiriz**. Laissez cette stèle sur votre droite, plongez dans un chemin boisé et rejoignez ensuite une voie néoromaine (en béton) qui descend et remonte sur **Biskarret** (ou Viscarret).

Après le cimetière de Biskarret, prenez une sorte de voie néoromaine qui rejoint la route un peu plus loin. Quittez-la pour vous rendre à **Lintzoáin** par une piste. À la sortie du village, empruntez un chemin qui monte très fort sur quelques kilomètres, souvent en sous-bois, pour passer devant **Los pasos de Roldán** (les pas de Roland, matérialisés par des dalles de pierre).

Peu après être passé devant de hautes antennes de transmission et un monument à un pèlerin japonais tombé ici, traversez la N.135 à **l'Alto de Erro**. Passez la table d'orientation et continuez par un chemin, en face, descendez bientôt devant un vieux bâtiment en ruine : la **Venta del Puerto Agorreta** (ou del Caminante). Le chemin descend alors très fortement jusqu'à **Zubiri**.

À moins que vous ne vouliez vous ravitailler ou vous rendre aux refuges, ne traversez pas le pont médiéval (pont de la Rabia) qui vous appelle. Continuez sur la rive gauche de l'Arga, par un chemin qui monte et descend constamment. Traversez ensuite la carrière d'une **usine de giobertite** (en contrebas). Peu après (tout en continuant à monter et descendre), vous passez à **Ilarraz** puis, par une petite route, **Ezkírotz**. Là, un chemin vous mène à **Larrasoaña**. Pour vous rendre au refuge, quittez le chemin, traversez le pont « de los Bandidos » et rendez-vous à la mairie (ayuntamiento).

La stèle de la Vierge de l'Alto (ou Puerto) de Mezkiriz

Villes, villages et sites traversés entre RONCESVALLES ET LARRASOAÑA

INFORMATIONS PRATIQUES

Distances	Villes, villages, sites	Alt.	FON	REF	BAR	ALI	CAS	RES	HOT	DAB	PH	BIV
- 756,3 km	Roncesvalles	960	✪	✪	✪		✪	✪	✪	✪		✪
à 2,9 km	Burguete	895	✪		✪	✪	✪	✪	✪		✪	
à 3,6 km	Espinal-Aurizberri	870	✪		✪	✪	✪	✪	C	✪		✪
à 1,8 km	Alto de Mezkiriz	925										
à 3,2 km	Viscarret-Gerendián	875	✪		✪	✪	✪	✪	C			
à 1,9 km	Lintzoáin	790	✪		✪	✪	✪	✪	C			✪
à 2,5 km	Pasos de Roldán	825										
à 1,8 km	Alto de Erro	810										
à 0,8 km	Ventas de Agorreta	775										
à 2,8 km	Zubiri	525	✪	✪	✪	✪	✪	✪	E	✪	✪	✪
à 2,9 km	Ilarraz	545	✪									✪
à 0,8 km	Ezkírotz	530	✪									
à 1,9 km	Larrasoaña	500	✪		✪	✪	✪	✪		C		

REFUGES

ZUBIRI
• Refuge municipal au bord de la N.135. Bâtiments vétustes. 52 places + fronton couvert. Douches communes. Tél. : 628 32 41 86. 6 €.
• Refuge privé « Zaldiko », entre le pont et la N.135. 24 places. Tél. : 609 73 64 20.
• Refuge privé « Palo de Avellano » avenida de Roncevalles, 16. Tél. : 948 30 47 70.

LARRASOAÑA
• Juste à côté de la mairie (ayuntamiento). Cuisine souvent fermée. 80 places. 6 €.

Larrasoaña

À VOIR ET À SAVOIR

CROIX DES PÈLERINS
(à la sortie de Roncevaux)
• Croix ancrée du XIVe siècle, en pierre, placée à cet endroit au XIXe siècle.

LOS PASOS DE ROLDÁN
• Grandes dalles de pierre, censées représenter les pas de Roland, neveu de Charlemagne.

ZUBIRI
• **Puente de la Rabia** (pont de la rage) : pont médiéval dans les piles duquel seraient entreposées les reliques de sainte Quitterie.

LARRASOAÑA
• **Puente de los Bandidos** (pont des bandits), du XIVe siècle.
• **Iglesia San Nicolás.**

PERSONNAGES DU CAMINO

• Santiago Zibiri (de Larrasoaña)
Ancien maire de Larrasoaña et pèlerin multirécidiviste, Santiago a aménagé chez lui un petit musée du Camino qu'il propose parfois de faire visiter aux pèlerins de passage (presque en face de la mairie).

HORAIRES DES MESSES

Villes, villages, sites	Semaine	Samedi	Dimanches et fêtes
Burguete	19h00 (mardi)	20 h (été)	
Espinal	Jeudi 19 h		13h00
Biskaret			11h00
Linzoáin			11h00
Zubiri	18h00, 19h00 (été)	18h00, 19h00 (été)	11h30
Larrasoaña	19h30 (mardi et jeudi)		12h30

Roncesvalles. Croix des Pèlerins

DE **Larrasoaña**
À **Pamplona/Iruña**

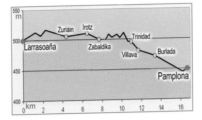

Trinidad de Arre

Comportant moins de dix-sept kilomètres, cette étape vous permettra de visiter PAMPLONA, première grande ville de votre pèlerinage. Profitez-en pour vous équiper du matériel vous paraissant manquant. C'est aussi l'occasion de faire le tri et de poster le surplus de poids jugé inutile après cette troisième journée de marche.

Chemin

Du refuge, **retraversez l'Arga** pour reprendre le Chemin sur la rive gauche, jusqu'à **Akerreta**. Suivez ensuite un chemin (à travers petits bois et pâturages) et longez l'Arga, que vous ne franchissez qu'à **Zuriain**. Empruntez la N.135, sur quelques centaines de mètres, jusqu'à une petite route à gauche qui retraverse le **Río Arga**. Juste après, prenez un chemin (à droite) qui serpente jusqu'à **Irotz**. Continuez par une petite route et retraversez l'Arga. Juste avant la N.135, devant une plage fluviale, suivez un chemin (parallèle à celle-ci), jusqu'à **Zabaldika**. Pour **Huarte**, suivez l'Arga sur 3,7 km. Sinon,

traversez la N.135 puis, derrière une aire de repos (sa fontaine et ses toilettes), prenez un chemin qui monte sévèrement vers la droite. Après être passé devant la très vieille **ferme d'Arleta** (et sa chapelle), puis les **vestiges de Burrín**, le chemin redescend et passe sous la nouvelle rocade. Remontez vers la droite et longez la grand-route par une piste (en partie goudronnée) qui surplombe celle-ci. Vous pouvez encore vous rendre à **Huarte** (en haut de cette piste, prendre un chemin sur la gauche). Sinon, descendez tranquillement la route jusqu'au **Puente de la Trinidad de Arre** (pont de la Trinité) et son refuge. Après le pont, entrez (à gauche) dans **Villava** qui, en suivant la **calle Mayor**, se transforme en faubourg de Pamplona. Ainsi, vous passez sans vous en rendre compte, à **Burlada**. Une centaine de mètres avant le grand pont moderne, prenez à droite pour bientôt arriver dans le **quartier de la Magdalena**. Entrez dans Pamplona par le **Puente de la Magdalena**, puis, dans les fortifications par le **portail de Francia**.

🐚 Villes, villages et sites traversés entre LARRASOAÑA et PAMPLONA

INFORMATIONS PRATIQUES

Distances	Villes, villages, sites	Alt.	FON	REF	BAR	ALI	CAS	RES	HOT	DAB	PH	BIV
- 729,4 km	Larrasoaña	500	✪	✪	✪	✪	✪	✪	C			
à 0,7 km	Akerreta-Esteribar	540	✪		✪		✪	✪	✪			✪
à 3,1 km	Zuriain	475										
à 2,2 km	Irotz	500	✪									✪
à 1,0 km	Zabaldika	470	E									
à 0,5 km	Aire de repos	460	✪									
à 0,8 km	Arleta	460										✪
à 2,4 km	Trinidad de Arre	435	✪	✪								
à 0,5 km	Villava	430	✪	✪	✪	✪	✪	✪	✪	✪	✪	
à 1,7 km	Burlada	425	✪		✪	✪	✪	✪	✪	✪	✪	
à 2,2 km	Pamplona	465	✪	✪	✪	✪	✪	✪	✪	✪	✪	

REFUGES

ARRE
• « Trinidad de Arre » : Très agréable et confortable refuge dans l'édifice religieux, à droite après le Puente de la Trinidad (pont de la Trinité). L'accueil chaleureux est assuré par les frères maristes. Cuisine. 34 places. Tél. : 948 33 29 41.

VILLAVA
• Refuge municipal.
Tél. : 948 11 15 77.

HUARTE
(légèrement à l'écart du chemin)
• Grand refuge municipal ouvert en 2005, sur la place de l'église. Moderne et confortable. 60 places. Ouvert d'avril à novembre. Grande cuisine. Tél. : 948 07 43 29/26.

PAMPLONA
• Refuge « Casa Paderborn » à 270 m à gauche, juste après le pont de la Magdalena, au bord de l'Arga. 24/26 places. Tél. : 660 63 16 56.
• Refuge public « Jesús y María », situé devant la cathédrale, 112 places. Cuisine. Tél. : 662 55 07 16. 5 €.

À VOIR ET À SAVOIR

TRINIDAD DE ARRE
• **Pont médiéval à cinq arches** et l'édifice religieux.

BURLADA
• **Puente de la Magdalena** (du XIVe siècle).

PAMPLONA
• Pamplona tiendrait son nom de Pompée, à l'époque romaine. Ancienne capitale du Royaume de Navarre. La ville fut le théâtre de nombreux sièges et sacs. Charlemagne lui-même aurait détruit Pamplona après l'avoir libérée des Maures. Plus tard, le futur saint Ignace de Loyola y fut blessé lors d'un combat (ce qui lui aurait valu sa vocation).
• **Portes de Francia ou de Zuma-lacarregui**.

• **Museo de Navarra** (ancien hôpital militaire Nuestra Señora de la Misericordia).
• **Catedral Metropolitana** (du xive au xviiie siècle) : on peut y voir le maître-autel où étaient couronnés les rois de Navarre. La façade est du xviiie siècle, les stalles du xvie et le cloître du xive.
• **Iglesia San Cernín** (en partie du xiiie siècle).
• **Iglesia San Lorenzo**.
• **Iglesia San Saturnino** (du xiiie siècle).
• **Ciudadela et la Vuelta del Castillo.**

PERSONNAGES DU CAMINO

• Miguel Indurain (de Villava)
Né à Villava, le quintuple vainqueur du tour de France cycliste est considéré, par les Navarrais, telle une véritable légende vivante. Ceux-ci lui vouent un culte étonnant. Il aurait, paraît-il, parcouru aussi le Camino à vélo.

Puente de la Magdalena

HORAIRES DES MESSES

Villes, villages, sites	Semaine	Samedi	Dimanches et fêtes
Huarte	10 h 30 (été), 19 h 30 (hiver)	idem	9 h, 11 h, 13 h
Trinidad de Arre			11 h 00
Villava	9 h 30, 19 h 30, 13 h (hiver)	9 h 30, 19 h 30, 13 h (hiver)	8 h 30, 11 h, 12 h 30, 18 h
Pamplona	Nombreux offices	Nombreux offices	Nombreux offices

ÉTAPE **4 24,7 KM**

DE **Pamplona/Iruña**
À **Puente La Reina/Gares**

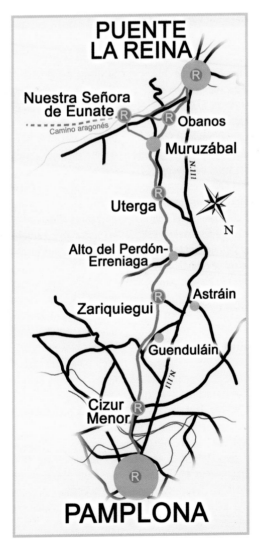

Obanos

Il s'agit d'une belle étape vallonnée qui vous mènera à Obanos et Puente la Reina, là où se rejoignent les chemins septentrionaux menant à Saint-Jacques. Tout d'abord, vous gravirez l'étonnante Sierra del Perdón, arborant ses éoliennes (aux pieds desquelles vous passerez) et que vous attaquerez tel Don Quichotte contre les moulins. Puis, descendez sur ce grand toboggan pour traverser de charmants petits villages aux airs moyenâgeux.

🐚 Chemin

Pour sortir de Pamplona, traversez le parc (en contournant la citadelle) et prenez la Calle Fuente de Hierro. Longez le campus de la prestigieuse **université de Navarre**, puis traversez le río Sadar par un vieux pont. Suivez ensuite la route, franchissez une voie ferrée et montez sur **Zizur Menor** (ou Cizur menor). Traversez le village par la calle de Santiago, passant à gauche du fronton. Au sortir du village prenez une piste qui longe une série de nouveaux lotissements. Par un chemin à travers champs, passez bien plus loin à côté d'un étang nauséabond et des ruines de **Guenduláin**. En visant au loin, traversez **Zariquiegui** et attaquez l'ascension de la **Sierra del Perdón-Erreniaga**. Passez ainsi aux pieds des gigantesques **éoliennes**, vues depuis Pamplona. Après une descente très raide sur l'autre versant, vous arrivez à **Uterga** que vous traversez. Ensuite, par un chemin bordé d'amandiers, et, peu après avoir franchi un cours d'eau, vous entrez bientôt à **Muruzábal**.

Là, deux possibilités s'offrent à vous :

A • Descendez de Muruzábal par une route et empruntez un chemin sur la droite qui continue à descendre puis remonte bientôt sur **Obanos**.

B • Moyennant un petit détour, vous pouvez prendre à gauche pour aller visiter l'impressionnante église romane d'**Eunate** et continuer jusqu'à **Obanos** par le chemin aragonais.

Traversez **Obanos**, sa très belle place principale et passez sous une arche médiévale (en ogive). En sortant du village, le Chemin traverse la route venant de Campanas. De l'autre côté, prenez (vers la droite) un chemin parallèle à celle-ci. Après avoir longé de petits jardins potagers, le sentier rejoint la N.111; là où se dresse un **monument aux pèlerins** (lieu où se faisait la jonction avec le chemin aragonais). Peu après, vous entrez dans **Puente la Reina**.

Eunate

🐚 Villes, villages et sites traversés entre PAMPLONA et PUENTE LA REINA

INFORMATIONS PRATIQUES

Distances	Villes, villages, sites	Alt.	FON	REF	BAR	ALI	CAS	RES	HOT	DAB	PH	BIV
- 714,3 km	Pamplona	450	✪	✪	✪	✪	✪	✪	✪	✪	✪	
à 4,4 km	Zizur Menor (ou Cizur Menor)	480	✪	✪	✪	E	✪	✪			✪	✪
à 4,2 km	Guenduláin (propriété privée)	510										
à 2 km	Zariquiegui	625	✪	✪								
à 2,4 km	Alto del Perdón-Erreniaga	770										
à 3,7 km	Uterga	485	✪	✪	✪			✪	✪	C			✪
à 2,7 km	Muruzábal	450	✪		✪	?		✪	C		✪	
à 1,7 km	Obanos	415	✪	✪	✪	✪	✪	✪	C	✪	✪	✪
à 3,6 km	Puente La Reina	360	✪	✪	✪	✪	✪	✪	✪	✪	✪	✪

Alternative entre Muruzábal et Puente La Reina, par Eunate

	Villes, villages, sites	Alt.	FON	REF	BAR	ALI	CAS	RES	HOT	DAB	PH	BIV
–	Muruzábal	450	✪		✪			✪	✪	C		✪	✪
à 2,6 km	Chapelle Nuestra Señora de Eunate	390	✪	✪							✪	
à 2,5 km	Obanos	415	✪	✪	✪	✪	✪	✪	C	✪	✪	✪
à 3,6 km	Puente La Reina	360	✪	✪	✪	✪	✪	✪	✪	✪	✪	✪

REFUGES

ZIZUR MENOR

• Refuge privé de la Doña Maribel Roncal : elle accueille les pèlerins, dans une belle maison navarraise avec un magnifique jardin. Cuisine. Ses capacités d'accueil ont considérablement augmenté depuis les travaux d'extensions de 2003. 56 places. 7 €. Tél. : 948 18 38 85.

• Refuge privé de l'ordre de Malte : rendez-vous à l'église qui se trouve sur votre gauche, à l'entrée de Zizur. Refuge géré par l'ordre de Malte (Ordre Souverain de Saint-Jean de Jérusalem, de Rhodes et de Malte). Vous pourrez également dormir dans l'église, admirablement restaurée. Cuisine. 27 places. 5 €. Tél. : 600 38 68 91/618 09 86 98.

ZARIQUIEGUI

• Refuge privé ouvert en 2009 au 16 de la rue San Andrés. De mars à octobre. 16 places. 8 € (20 € la demi-pension). Tél. : 948 35 33 53/679 23 06 14.

UTERGA

• Refuge privé « Camino del Perdón », ouvert en 2003. 16 places + chambres à louer. 10 €. Tél. : 948 34 46 61.

• Tout petit refuge méconnu (un seul lit superposé + possibilité pour deux autres personnes au sol) au centre du village, près de la fontaine, à droite.

EUNATE

• Maison de famille de la paroisse de Muruzábal qui accueille les pèlerins. ✠

OBANOS

• Très beau gîte privé « Usda », face au Club de jubilados. Ouvert en 2002 près de l'église. Micro-ondes. 36 places. 7 €. Tél. : 676 56 09 27.

PUENTE LA REINA

• Refuge de los Padres Réparadores : non loin de l'entrée du bourg, près de la iglesia del Crucifijo, sous les arcades. Jardin. Cuisine. 100 places. 5 €. Tél. : 948 34 00 50.

• Refuge « Santiago Apóstol » : Refuge privé sur les hauteurs, après

Puente La Reina

le fameux pont. 100 places. Piscine.
Tél. : 948 34 02 20 /660 70 12 46.
• Hôtel Jaküe : à l'entrée de
Puente la Reina. Refuge confor-
table de 36 places, dans les sous-
sols de l'hôtel. Climatisé. Sauna.
Tél. : 948 34 10 17.

À VOIR ET À SAVOIR

ZIZUR (ou Cizur) MENOR
• **Iglesia San Miguel Arcangel** (du
XIIIe siècle) : église de l'ancienne
commanderie des chevaliers de
l'ordre de Saint-Jean de Jérusalem
(ordre de Malte).
• **Iglesia San Emetario y san
Celedonio** (ouverte le soir). Outre
sa très belle vierge à l'enfant néo-
romane, on peut monter jusqu'à
son clocher.

GUENDULÁIN
• **Ruines du Palais des comtes
de Guenduláin**, et son église du
XIVe siècle.

ALTO DEL PERDÓN
• Autrefois se dressait ici le monastère de **Nuestra Señora del Perdón**.

EUNATE (un peu à l'écart,
entre Muruzábal et Obanos
au bord de la route de Campanas)
• Perdue dans les champs, cette
église octogonale, surplombée
d'une lanterne des morts et
entourée d'une surprenante
galerie extérieure, est l'une des
grandes énigmes architectu-
rales de l'Occident chrétien. Sa
construction (chef-d'œuvre du
roman de la fin du XIIe siècle) serait
attribuée aux templiers (?).

OBANOS
• C'est dans ce village que le
chemin d'Arles (par le Camino
Aragonés) se joint au Camino
Francés pour n'en former qu'un.
• **Reliquaires présumés de saint
Guillaume de Poitiers et de
sainte Félicie, sa sœur**. Ils furent
tous les deux pèlerins, princes
d'Aquitaine et protagonistes du
« Mystère d'Obanos » ; drame fra-
tricide.

PUENTE LA REINA
• Ville ayant appartenu aux chevaliers de l'ordre du Temple
(de 1142 à 1307).
• **Iglesia del Crucifijo** : cette
église templière du XIIIe siècle
tient son nom du Christ en croix
en « Y » qu'elle renferme.
• **Iglesia de Santiago** : du XIIe siècle,
remaniée au XVIe (portail polylobé).
• **Puente de l'Arga** (XIe siècle).

HORAIRES DES MESSES

Villes, villages, sites	Semaine	Samedi	Dimanches et fêtes
Zizur Menor	20h00 (19h00 l'hiver)	idem	11h00, 13h00
Zariquiegui			11h00
Uterga	Jeudi 19h00		12h00
Muruzábal	18h00	18h00 (19h00 l'été)	11h00
Eunate			19h00 (été)
Obanos	19h00	19h00	12h00
Puente La Reina	10h00, 20h00	10h00, 19h30	9 h, 12 h, 19 h

DE **Puente La Reina/Gares**
À **Estella/Lizarra**

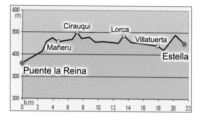

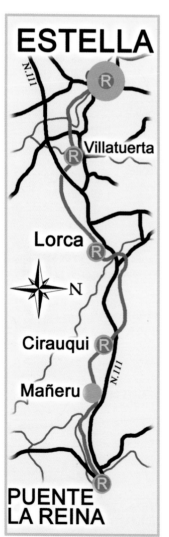

Cirauqui

Étape également très vallonnée, vous faisant passer par de beaux chemins, traversant de ravissants villages. Aussi, vous emprunterez, sur de nombreux kilomètres, les vestiges de l'ancienne voie romaine qui, jadis, reliait Bordeaux à Astorga (étape 22). La nouvelle autoroute Pamplona-Logroño risque sérieusement d'affecter le tracé du Camino.

À partir de Puente la Reina, vous quitterez l'orientation sud-sud-ouest pour une orientation plein ouest, jusqu'à Santiago. La particularité principale sera d'avoir le matin, le soleil derrière soi; et le soir, en face, avec de délicieux jeux d'ombres.

🐚 Chemin

Traversez la ville et franchissez le vieux **pont médiéval** (qui donna son nom au bourg). Prenez à gauche et traversez la N.111. Longez-la par la gauche sur un chemin plus ou moins parallèle à celle-ci. La piste s'éloigne de la route et prenez un chemin légèrement sur la droite qui, sur plusieurs kilomètres, monte et descend constamment jusqu'à retrouver la grand-route. À hauteur d'une fontaine, une petite route entre et descend sur **Mañeru** (que vous traversez). Peu après être passé devant le cimetière, vous apercevez en point de mire, juché sur sa colline, le beau village de **Cirauqui**. Arrivé au pied de ce village, il vous faut monter à son sommet. En haut, passez sous l'arche qui renferme, derrière ses grilles, des fonts baptismaux médiévaux. Redescendez de Cirauqui par une ancienne **voie romaine** et par les vestiges d'un **vieux pont** de la même époque. Ensuite, traversez la N.111 et prenez une route en face. Quittez-la quelques mètres plus loin, pour une piste sur la gauche. Peu après, vous tombez sur les ruines d'Urbe. Puis, passez un vieux petit pont. Continuez longuement sur la voie romaine qui tortille entre vignes et oliviers. Passez deux fois sous la grand-route, prenez une petite route qui, bientôt, passe sous un aqueduc. Suivez ensuite un chemin (à gauche) qui traverse le río Salado par un très vieux pont et passe sous la N.111. Prenez (en face) un chemin qui descend puis grimpe sur **Lorca**. Vous pouvez aussi suivre l'ancienne N.111, pour vous y rendre plus tranquillement.

Traversez le village en passant par sa charmante place et sa claire fontaine. Empruntez ensuite, sur environ quatre kilomètres et demi, un chemin qui serpente à travers champs et vignes, jusqu'à **Villatuerta**. Sortez du village en passant à proximité de la **Ermita** (chapelle) **San Miguel**. Après être passé derrière une aire de repos, traversez une petite route et prenez un chemin qui descend en face. Franchissez bientôt le río par une passerelle, poursuivez votre chemin et remontez vers une usine chimique. Suivez la piste goudronnée et, chemin faisant, entrez dans **Estella** par la rúa Curtidores.

⚜ Villes, villages et sites traversés entre PUENTE LA REINA et ESTELLA

INFORMATIONS PRATIQUES

Distances	Villes, villages, sites	Alt.	FON	REF	BAR	ALI	CAS	RES	HOT	DAB	PH	BIV
- 689,6 km	Puente La Reina	360	⊙	⊙	⊙	⊙	⊙	⊙	⊙	⊙	⊙	⊙
à 4,9 km	Mañeru	455	⊙		⊙		⊙	⊙			⊙	⊙
à 2,7 km	Cirauqui	500	⊙	⊙	⊙	⊙	⊙			⊙	⊙	⊙
à 5,5 km	Lorca	485	⊙	⊙	⊙	⊙	⊙	E	C			⊙
à 4,7 km	Villatuerta	440	⊙	⊙	⊙	⊙	⊙			⊙	⊙	⊙
à 3,8 km	Estella	450	⊙	⊙	⊙	⊙	⊙	⊙	⊙	⊙		

REFUGES

CIRAUQUI

• Refuge paroissial ouvert de temps en temps dans la calle del Norte (face au club de jubilados). ✝

• Refuge privé « Maralotx » situé derrière l'église. Calle San Roman, 30. 28 places. De février à novembre. 9 € Tél. : 678 63 52 08.

LORCA

• Gîte privé « La Bodega del Camino ». 36 places. 8/10 €. Tél. : 948 54 11 62.

• Gîte privé de José Ramón au-dessus du bar du 40 de la calle Mayor. 15 places, chambres de 1, 2, 4 places. 7 €. Tél. : 948 54 11 90.

VILLATUERTA

• Refuge privé dans une vieille demeure restaurée, ouvert en juillet 2009. Calle Rebote, 5. 30 places. Cuisine. 10 €. Tél. : 948 53 60 95.

ESTELLA

• À gauche, peu après être passé devant le pont de los peregrinos.

Estella

Grand refuge moderne et confortable. 104 places. Cuisine. Calle La Rua Curtidores, 50. 4 € Tél.: 948 55 02 00.
• Refuge ANFAS (association d'handicapés) au 7 de la calle Cordeleros. 34 places. Ouvert de juin à septembre. 6 € Tél.: 948 55 45 51/ 669 11 45 22.
• Refuge paroissial. Calle Mercado viejo, 18. Tél.: 690 08 15 84. ✠

À VOIR ET À SAVOIR

CIRAUQUI
(en basque : nid de vipères)
• **Iglesia San Román** (portail polylobé du XIIIᵉ siècle).
• **Iglesia Santa Catalina de Alejandria** (du XIIIᵉ siècle).

• **Passage couvert** (fonts baptismaux romans).
• **Vestiges de la voie romaine** descendant sur un **pont romain** (sortie du village).

VILLATUERTA
• **Iglesia de la Asunción** (roman tardif des XIIIᵉ et XIVᵉ siècles).

ESTELLA
• En 1833, Don Carlos fut couronné roi à Estella ; il y implanta le siège des Carlistes.
• **Iglesia San Miguel** (portail magnifiquement sculpté).
• **Iglesia San Pedro de la Rúa** (portail polylobé et un remarquable cloître roman).

Cirauqui : voie et pont romains

HORAIRES DES MESSES

Villes, villages, sites	Semaine	Samedi	Dimanches et fêtes
Mañeru	19h30	20h30	8h30, 11h
Cirauqui	19h, 18h30 (hiver)	19h, 18h30 (hiver)	12h30
Lorca	Jeudi 19h		13h00
Villatuerta	09h00	20h00	09h00, 12h00
Estella	Nombreux offices	Nombreux offices	Nombreux offices

DE **Estella/Lizarra**
À **Los Arcos**

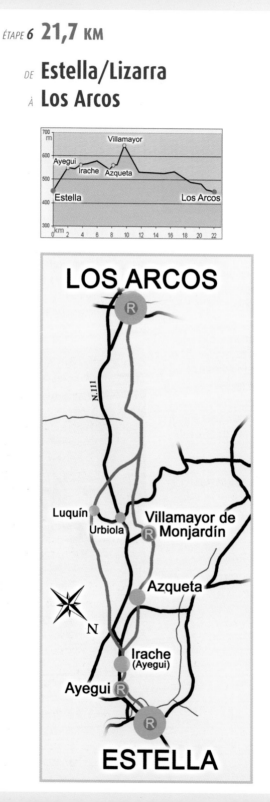

🐚 Chemin

Sortez de la ville par le Portal de Castilla. Ensuite, suivez la N.111 par la calle de Logroño, jusqu'à la route de Calahorra. Là, prenez à droite pour suivre ensuite la calle del Camino de Santiago (dans le village d'Ayegui).

Traversez la route et prenez donc une piste qui descend et remonte vers l'imposant **monastère Santa María la Real de Irache** (passant résolument et impassiblement devant l'envoûtante Fuente del vino).

En continuant un peu sur la droite, **deux possibilités s'offrent encore à vous** :

A · À gauche, par un très beau (mais difficile) chemin, montant par le Montejurra (celui des Carlistes) et par **Luquín**.

B · Légèrement à droite, par un chemin également très beau, qui vous est décrit ci-dessous :

Après avoir franchi la N.111, vous longez l'hôtel, le camping et la piscine, puis empruntez un beau chemin (derrière une clôture).

Celui-ci traverse une route, passe devant un dépôt d'eau potable (fontaine). Après une chênaie et des champs, au loin, vous apercevez le village d'**Azqueta**. Après l'avoir traversé, vous entamez une ascension (à travers les vignes) jusqu'à Villamayor de Monjardín, en passant auparavant devant la très ancienne **Fuente de los Moros** (fontaine des maures). Ensuite, redescendez de **Villamayor de Monjardín** par un chemin (toujours dans le vignoble).

Bientôt, vous traversez une petite

Fontaine du vin «Bodegas Irache» d'Ayegui

Cette étape pourra facilement devenir très éprouvante pour peu que le soleil et la canicule soient de la partie. À la Fuente del vino (fontaine du vin), gardez-vous de trop consommer de ce vin offert gracieusement aux pèlerins par les Bodegas Irache : celui-ci est facile et agréable à boire, mais sachez qu'il est fortement alcoolisé et que l'étape est loin d'être terminée.

Attention ! Vous ne trouverez pas d'eau et quasiment pas d'ombre entre Villamayor de Monjardín et Los Arcos.

Ce tronçon désertique donne un avant-goût de ce qui vous attend, entre Burgos et Astorga, sur les tant redoutés hauts plateaux de Castille que l'on appelle la Meseta ou El Páramo.

N'oubliez pas de prendre de l'eau à la fontaine de Villamayor de Monjardín.

route et continuez par le chemin d'en face. Loin vers l'infini s'étendent de longs prés secs et désolés; paysages monotones et vallonnés sur près de treize kilomètres. Juste à l'entrée de **Los Arcos**, vous attend la fontaine tant espérée. Vous pénétrez dans la ville.

Villes, villages et sites traversés entre ESTELLA et LOS ARCOS

INFORMATIONS PRATIQUES

Distances	Villes, villages, sites	Alt.	FON	REF	BAR	ALI	CAS	RES	HOT	DAB	PH	BIV
- 668 km	Estella	450	✿	✿	✿	✿	✿	✿	✿	✿	✿	
à 2 km	Ayegui	505	✿	✿	✿	✿	✿	✿		✿	✿	✿
à 0,8 km	Monasterio de Irache (Ayegui)	550	✿									✿
à 1,3 km	Ensemble hôtelier de Irache	565	✿	✿	✿		✿	✿	✿	?		
à 3,3 km	Azqueta	575	✿		✿							
à 1,8 km	Villamayor de Monjardín	645	✿	✿	✿		✿					
à 2,1 km	Fontaine parfois sèche	565	✿									
à 7,1 km	Pinède	495										
à 3,3 km	Los Arcos	450	✿	✿	✿	✿	✿	✿	✿	✿	✿	✿

REFUGES

AYEGUI
• Après avoir plusieurs fois parcouru le Camino, le maire d'Ayegui a décidé d'accueillir les pèlerins depuis 2003, dans le grand centre sportif (polideportivo). 70 lits. Tél.: 948 55 43 11. 6 €. Ouvert toute l'année.
• Albergue juvenil «Oncineda». Calle Monasterio de Irache. Tél.: 948 55 50 22/39 54.

VILLAMAYOR DE MONJARDÍN
• Petit refuge paroissial Santa Cruz, ouvert en 2004, peu avant l'église, à droite. 20 places.
• En montant derrière la fontaine. Refuge privé, géré par des Hollandais qui vous proposent également le repas du soir et le petit-déjeuner. 24 places. Tél.: 948 53 71 36. 5 €.

LOS ARCOS
• Après avoir traversé le rio Odrón vers la droite. Refuge public «Isaac Santiago». 70 places, cuisine. Tél.: 948 44 10 91. 4 €.
• Refuge privé «Alberdi». 3, Hortal. 25 places. Cuisine. Rens.: 948 64 07 64 et 650 96 52 50. 8 €.
• Sympathique refuge privé «La Fuente-Casa de Austria». 60 places. 5, traversia del Estanco. 7 €. Tél.: 948 64 07 97.

Villamayor

À VOIR ET À SAVOIR

IRACHE

• **Monasterio Santa María de Irache** (du xe siècle): l'église est de la fin du xiiie (son portail et son abside sont du xiie siècle) et son cloître renaissance, du xvie. On peut aussi visiter son musée. Il devrait prochainement être aménagé en « Parador » (grand hôtel).

• **Fuente del vino** (unique au monde): les très généreuses *Bodegas Irache* ont mis à la disposition des pèlerins une fontaine d'où sort le vin. Si vous souhaitez en emporter ou goûter une meilleure cuvée, une boutique est à votre disposition de l'autre côté des bâtiments.

Monasterio de Irache

VILLAMAYOR DE MONJARDÍN

• **Fuente de los Moros:** fontaine-citerne couverte (du xiie siècle, restaurée avant le jubilé de 1993).

• **Iglesia San Andrés** (du xiie siècle): surmontée d'une tour baroque du xviie; le tympan sculpté de scènes chevaleresques et d'intéressants fonts baptismaux.

• **Ruines du château de Monjardín** (du xe siècle).

LOS ARCOS

• **Iglesia Santa María de la Asunción**: romane, gothique et plateresque (du xiie et du xviiie siècles); retable magnifique.

PERSONNAGES DU CAMINO

• Pablito (de Azqueta)
Personnage sympathique au grand cœur, Pablito offre, depuis des années, un bâton aux pèlerins qui n'en sont pas munis. Doté d'une belle voix, il est très érudit en matière de chants médiévaux du pèlerinage.

OÙ MANGER CONVENABLEMENT ?

LOS ARCOS
• Bar-restaurant Mavi.

HORAIRES DES MESSES

Villes, villages, sites	Semaine	Samedi	Dimanches et fêtes
Azqueta		19 h	12h00
Villamayor de Monjardín			13h00
Los Arcos	20h00	20h00	12h00, 19h00

DE **Los Arcos**
À **Logroño**

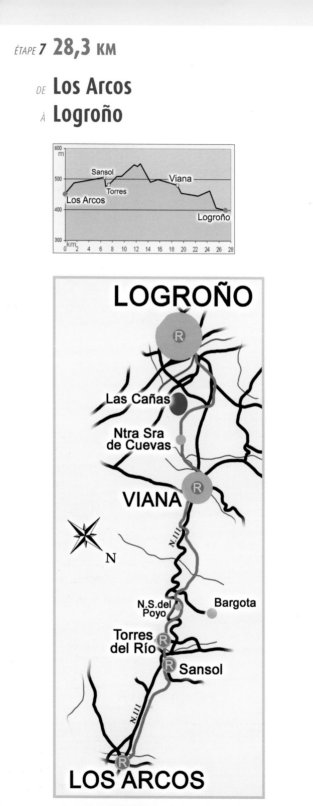

Torres del Río

Étape vallonnée, très agréable et d'une grande diversité de paysages. Vous passerez par de ravissants villages possédant d'impressionnants édifices religieux, tant par leurs architectures énigmatiques que par la richesse de leurs ornementations. À partir de Torres, et sur de nombreux kilomètres, le chemin ne cesse de monter et descendre. Dur pour le souffle et les jambes !

À Logroño, vous changerez de province et entrerez, pour quelques étapes, dans La Rioja. Dans cette riche province vinicole et gastronomique, vous pourrez égayer votre parcours pénitentiel et rencontrer des personnages étonnants.

À la fontaine de Torres del Río (près de l'église paroissiale), n'oubliez pas de remplir votre gourde : il s'agit du dernier point d'eau avant Viana ; d'autant que le terrain est accidenté avec peu d'ombre.

🐚 Chemin

Sortez de Los Arcos en montant vers le cimetière. Sur de nombreux kilomètres, le chemin est quasi rectiligne à travers champs, vignes et amandiers, longeant plus ou moins la N.111. Plus loin, suivez la petite route qui monte sur les hauteurs de **Sansol**. Là, redescendez fortement pour passer sous la N.111. Ensuite, traversez le río Linares et monter sur **Torres del Río** (laissant sur votre droite l'église del San Sepulcro). Après Torres, le Camino monte et descend sans cesse, en traversant et frôlant fréquemment la N.111, jusqu'à la **Ermita Nuestra Señora del Poyo** (Notre-Dame du Puy). Après avoir suivi la N.111 sur quelques dizaines de mètres, prenez une piste qui monte fortement sur la droite. Le chemin alors monte et descend constamment pour couper les courbes de la route à travers les oliviers et les amandiers. Peu après avoir franchi le río Cornava, le chemin monte très rudement pour reprendre la N.111. Longez-la, par intermittence sur quelques kilomètres jusqu'à **Viana**. Montez au cœur du bourg et rejoignez l'église Santa María. Passez ensuite vers les ruines de l'église San Pedro, de la terrasse desquelles vous pouvez voir Logroño. Descendez de Viana et traversez à nouveau la N.111. Prenez une piste (en face) qui bientôt débouche sur le petit sanctuaire de **La Virgen de Cuevas**. Vous passez bientôt près de l'étang de Las Canas et rejoignez la grand-route, que vous traverserez prudemment. Devant la Papelería del Ebro, vous êtes désormais dans la **Province de La Rioja**. Après la traversée sécurisée d'un petit échangeur, par une piste goudronnée, montez et descendez vers les premières maisons de Logroño (dont celle de Felisa). La ville elle-même, se trouve un peu plus loin. Rejoignez donc les rives du Río Ebro et traversez celui-ci par son fameux **pont à sept arches**. De l'autre coté, prenez la rúa Vieja dans laquelle se situent le plaisant refuge et le bureau des pèlerins de Logroño.

Villes, villages et sites traversés entre LOS ARCOS et LOGROÑO

INFORMATIONS PRATIQUES

Distances	Villes, villages, sites	Alt.	FON	REF	BAR	ALI	CAS	RES	HOT	DAB	PH	BIV
– 646,3 km	Los Arcos	450	✪	✪	✪	✪	✪	✪	✪	✪	✪	
à 6,9 km	Sansol	505	✪		✪						✪	✪
à 0,9 km	Torres del Río	480	✪	✪	✪	✪	✪	✪	C	✪		
à 2,6 km	Nuestra Señora del Poyo	565										
à 8,1 km	Viana	480	✪	✪	✪	✪	✪	✪	✪	✪		
à 2,9 km	Ermita Ntra. Sra de Cuevas	395	✪									✪
à 6,9 km	Logroño	400	✪	✪	✪	✪	✪	✪	✪	✪		

REFUGES

SANSOL
• Refuge privé « Albergue de Sansol », ouvert en 2005 au 10 de la calle Taconera. 10 places. Cuisine. Tél. : 618 19 75 20.

TORRES DEL RÍO
• Refuge privé « Casa Mariela ». 54 places. Tél. : 948 64 82 51. 7 €.
• Agréable refuge privé « Casa Mari », surplombant le village au 13 de la calle Nueva. 26 places. Tél. : 948 64 84 09. 7 €. Ouvert toute l'année.

VIANA
• Près de l'église San Pedro. Refuge municipal Andrés Muñoz. Assurez-vous de ne pas déranger le repos des pèlerins en faisant vos vocalises dans la vaste salle à manger pourvue d'une acoustique exceptionnelle. Cuisine. 54 places. Tél. : 948 64 55 30.
• Petit refuge paroissial Ora pro nobis, installé dans l'ancienne salle de catéchisme, accolé à l'église Santa María. 16 places. Ouvert en 2003. Tél. : 948 64 50 37. ✠

LOGROÑO
• Refuge grand, moderne et confortable. Patio avec bain de pieds. Cuisine. 88 places. Rúa Vieja, 32. 3 €. Tél. : 941 26 02 34.
• Accueil paroissial (paroisse Santiago El Real) durant la forte saison. Barrio Cepo, 8, à côté de l'église. ✝
• Refuge privé « Puerta del Revellin ». Plaza Martinez Flamarique (près du bar « El Albero »). Tél. : 629 17 04 47.

À VOIR ET À SAVOIR

SANSOL
• **Vue remarquable depuis la terrasse de l'église.**

TORRES DEL RÍO
• **Iglesia del San Sepulcro :** parfaite construction octogonale romane (du XIIᵉ siècle) attribuée aux Templiers.
• **Iglesia San Andrés** (du XVIᵉ siècle).

ERMITA SANTA MARÍA DEL POYO
• Chapelle du XIIᵉ au XVIᵉ siècle, dédiée à Notre-Dame du Puy.

VIANA
• Ville des princes de Viana et de Cesar Borgia.
• **Murailles de Viana** (début du XIIIᵉ siècle).

• **Iglesia Santa María** (du XIIIᵉ au XVIᵉ siècle). Très beau rétable. Devant la porte gît Cesar Borgia, généralissime tombé à Viana le 11 mars 1507 et refoulé à cet endroit en raison de son lignage.
• **Iglesia San Pedro** (XIIIᵉ et XVIᵉ siècle), délabrée mais impressionnante ; terrasse panoramique.

LOGROÑO
• **Puente de Piedra** (pont de pierre à sept arches) : construit par le saint bâtisseur san Juan de Ortega (du XIIᵉ siècle, remanié au XIXᵉ siècle).
• **Fuente de los Peregrinos :** dans la rúa Vieja.
• **Iglesia Santiago el Real :** gothique du XVIᵉ siècle, surmontée d'un Santiago Matamoros (baroque).
• **Catedral Gótico Santa María de la Redonda :** bâtie au XVᵉ siècle, sur un sanctuaire primitif octogonal.
• **Iglesia San Bartolome** (des XIIᵉ, XIIIᵉ et XIVᵉ siècles).

OÙ MANGER CONVENABLEMENT ?

VIANA
• Pitu bar.

LOGROÑO
• Café Moderno.

Logroño

HORAIRES DES MESSES

Villes, villages, sites	Semaine	Samedi	Dimanches et fêtes
Sansol			12h30
Torres del Río			13h30
Viana	Nombreux offices	Nombreux offices	Nombreux offices
Logroño	Nombreux offices	Nombreux offices	Nombreux offices

Torres del Río, Iglesia del Santo Sepulcro

DE **Logroño**
À **Nájera**

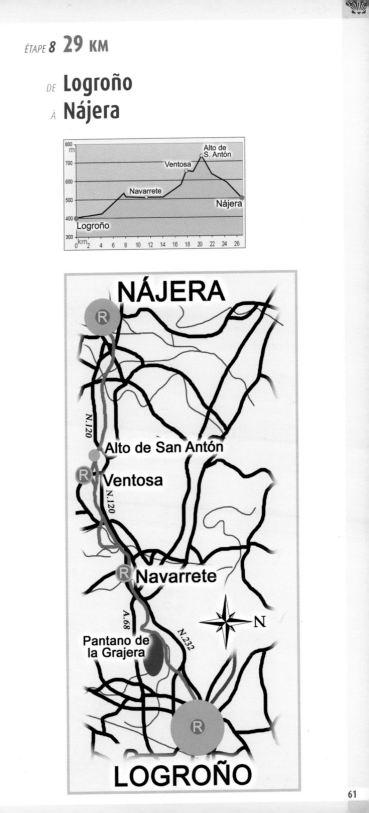

Navarrete

Cette étape comporte encore quelques petits tronçons sur le bord de la route. Le manque d'attention et de réflexes est accentué par les nuisances accumulées et la fatigue qu'elles provoquent. Gardez-vous de tout écart ! En revanche, les chemins empruntés vous offrent parfois de beaux paysages, entre les vignes et les amandiers.

Surtout en cas de gros soleil, n'oubliez pas de prendre de l'eau à Navarrete.

🐚 Chemin

Suivez les *rúa Vieja* et *Barrio-cepo* jusqu'à la *plaza del Parlemento* et suivez la *avenida de Burgos*. Longez la caserne de la Guardia Civil et, à hauteur d'une station-service, prenez à gauche (dans la zone industrielle). Continuez pour passer sous la rocade. Prenez la piste bordée d'arbres et de bancs jusqu'à une Vierge (Nuestra Señora del Rocío) ; puis quelques mètres plus loin devant le **Pantano de Grajera** : belle retenue d'eau qu'il vous faut longer (par la droite, entre les pins). De l'autre côté, prenez une piste qui monte, faisant un grand Z. Ensuite, redescendez et rejoignez un chemin parallèle (sur la gauche) à l'infranchissable N.120. Longez-la sur quelques kilomètres puis traversez prudemment une bretelle. Prenez plus tard un pont qui emjambe une autoroute. Peu après les vestiges d'une ancienne commanderie de Saint-Jean-d'Acre, vous entrez dans **Navarrete**. Montez alors la calle San Juan jusqu'à l'église de l'Asunción en passant devant le refuge. Prenez alors la calle Mayor puis la plaza del Arco. Redescendez pour suivre la direction Nájera. Bientôt, rejoignez et longez la N.120. Un peu plus loin, devant le cimetière, vous pouvez vous recueillir devant une stèle à la mémoire d'une pèlerine belge, fauchée sur cette route par un chauffard en 1986. Cette tragédie rappelle que vous devez être très prudent lorsque vous suivez une route. Peu après, le chemin s'éloigne manifestement de la route, vers la gauche. En suivant prudemment la route, vous pouvez, peu après (au carrefour de la route de Sotés), rejoindre une piste parallèle à celle-ci. Ainsi, vous gagnerez quelques kilomètres sur le nouveau chemin balisé. Pour vous rendre à **Ventosa**, prenez une piste sur votre gauche. Vous rejoindrez le tracé principal, après le village, peu avant l'**Alto de San Antón**. Au sommet de celui-ci s'élèvent de nombreux cairns (monticules de pierres) disposés par les pèlerins. Sur l'autre versant, la descente est assez forte jusqu'à la N.120. Traversez-la pour prendre un escalier puis un chemin en face. Celui-ci va rester plus ou moins parallèle à la grand-route (à distance). Plus loin, vous passez le **Pozo de Roldán** puis une gravière, traversez le río. Après être passé devant un mur sur lequel est écrit le fameux poème du père D. Eugenio Garribay Baños et traversé une route, vous entrez dans **Nájera**.

⬡ Villes, villages et sites traversés entre LOGROÑO et NÁJERA

INFORMATIONS PRATIQUES

Distances	Villes, villages, sites	Alt.	FON	REF	BAR	ALI	CAS	RES	HOT	DAB	PH	BIV
- 618 km	Logroño	390	✪	✪	✪	✪	✪	✪	✪	✪	✪	
à 5,9 km	La Grajera (derrière l'étang)	440	✪		✪		✪					✪
à 5,2 km	Navarrete	510	✪	✪	✪	✪	✪	✪	✪	✪	✪	
à 9,9 km	Alto de San Antón	730										
à 3,5 km	El Pozo de Roldán	570	✪									✪
à 4,5 km	Nájera	485	✪	✪	✪	✪	✪	✪	✪	✪		

Alternative par Ventosa

Distances	Villes, villages, sites	Alt.	FON	REF	BAR	ALI	CAS	RES	HOT	DAB	PH	BIV
–	Navarrete	510	✪	✪	✪	✪	✪	✪	✪	✪	✪	✪
à 7,9 km	Ventosa	650	✪	✪	✪	✪	✪	✪				
à 2,4km	Alto de San Antón	730										

Nájera

REFUGES

NAVARRETE
• Sous les arcades, après le bar Los Arcos, à droite. Beau refuge confortable, dans la calle San Juan, 2. Cuisine. 40 places. Tél.: 941 44 07 76. 5 €.
• Gîte privé « El Cantaro ». Ouvert en 2005 au 16 de la calle Herrerias. 12 places. Tél.: 941 44 11 80. Toute l'année. 10 €.

SOTÉS (à l'écart)
• Refuge bodega « F.J. Rodriguez », au milieu des vignes. Tél.: 670 05 32 29/941 44 19 27.

VENTOSA
• Idéal pour échapper un peu à la foule, le refuge privé « San Saturnino », dans ce charmant petit village vinicole de La Rioja, confortable, reposant et familial, a rouvert, plus grand, en 2008. Cuisine. 52 places. 7 €. Tél.: 941 44 18 99/17 54.

NÁJERA
• Refuge associatif, ouvert en 2005 sur la plaza de Santiago. Grand dortoir climatisé. Cuisine. 90 places. ✠
• Refuge privé « Sancho III – La Judería ». Calle San Marcial, 6. De mars à octobre. 10 places. Tél: 941 36 11 38. 10 €.

À VOIR ET À SAVOIR

PANTANO DE LA GRAJERA
• **Retenue d'eau, réserve naturelle ornithologique et parc** servant de lieu de détente et de quiétude aux habitants de Logroño et des alentours.

VENTOSA
Le nouveau tracé de 1947 a délaissé le village de Ventosa. Autrefois, celui-ci possédait un refuge et un hôpital de pèlerins. Son église est dédiée à saint Saturnin.

ALTO DE SAN ANTÓN
Là se dressait une commanderie templière (jusqu'au début du XIVe siècle). Des vestiges ont été mis au jour en 2009.

NAVARRETE
• **Vestiges de l'hôpital de San Juan de Acre** (du XIIe siècle), dont le porche a été déplacé au cimetière de Navarrete.
• **Iglesia de la Asunción** (du XVIe siècle): elle abrite le plus grand retable baroque du monde ainsi qu'un tryptique de l'École flamande que lui jalousent les plus grands musées.

NÁJERA
Reconquise sur les Maures au VIIIe siècle. Ancienne résidence des rois de Navarre.
• **Monasterio Santa María la Real** (du XIe siècle et gothique pesant): il abrite la Vierge des grottes, un maître-autel de style churrigueresque ainsi que le **Panthéon royal de Navarre**.
• **Grottes des anachorètes:** les falaises de Najera sont truffées de grottes creusées par l'homme, dans lesquelles se retiraient jadis des moines ermites troglodytes.

PERSONNAGES DU CAMINO

• Marcelino (de Logroño)
Souvent installé dans une cabane en bois à la sortie de la Grajera, il offre, depuis des années, des fruits, du réconfort et des conseils aux pèlerins. Une légende vivante du Camino !

• Les « dinosaures » de Ventosa
En 2001, deux grands vétérans du Camino, Enrique et José Luis, se sont associés pour ouvrir un très agréable refuge dans le petit village de Ventosa. Leur connaissance du Chemin est impressionnante et pratique.

• José Luis (de Nájera)
Président de l'association jacquaire et hospitalero au refuge de Nájera, José Luis accueille chaleureusement les pèlerins depuis des années.

OÙ MANGER CONVENABLEMENT ?

NÁJERA
• *La Juderia.*
• *La Amistad.*

HORAIRES DES MESSES

Villes, villages, sites	Semaine	Samedi	Dimanches et fêtes
Navarrete	19 h 30	19 h 30	9 h 00, 13 h 00
Ventosa			12 h 00
Nájera	Nombreux offices	Nombreux offices	Nombreux offices

Logroño, église Santiago

DE **Nájera**
À **Santo Domingo de la Calzada**

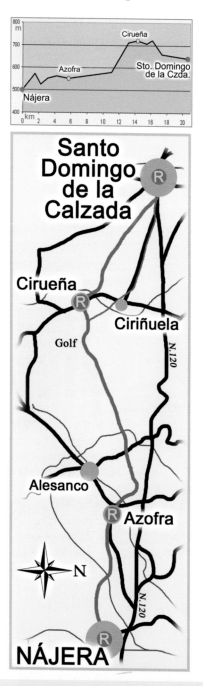

Santo Domingo

passez un petit col entre les rochers et descendez sur une ferme d'élevage. Poursuivez ensuite, sur quelques kilomètres, dans le vignoble de La Rioja. Prenez ensuite une petite route qui, quelques centaines de mètres plus loin, vous mène à **Azofra**. Traversez le village et, à hauteur de la Fuente de los Romeros et de la Parada de la Virgen de Valvanera, prenez une piste (sur votre gauche). Vous apercevrez certainement une colonne de pierre sur votre droite : il s'agit d'un *Rollo de la Justicia* ; symbolisant l'autorité et l'indépendance judiciaire des autochtones. Cette piste, après avoir traversé une petite route et un río, s'éloigne significativement de la N.120. Poursuivant le chemin, vous attaquez bientôt une côte puis une autre. En haut de celle-ci, continuez le long d'un golf et des aménagements annexes qu'il engendre depuis 2002 : des lotissements fantômes.

Vous entrez dans le village de **Cirueña**. À sa sortie, suivez une petite route.

Après avoir traversé un río, vous trouverez un chemin sur votre gauche. Cette piste vallonnée se poursuit encore sur quelques kilomètres. Vous entrez ensuite à **Santo Domingo de la Calzada** par une coopérative de pommes de terre. Rendez-vous dans le centre-ville afin de visiter son étonnante **cathédrale**. Peu avant, vous serez déjà passé devant le beau refuge de pèlerins de la Cofradia del Santo.

Belle étape entre les vignes et les champs vallonnés de La Rioja. En raison du peu d'arbres présents sur le Chemin, celle-ci peut rapidement devenir difficile si le soleil s'en mêle.

Prenez de l'eau à Azofra !

Chemin

Après être passé devant le monastère Santa María la Real, commencez à monter vers le fronton. Continuez à grimper encore plus sévèrement par un chemin (ocre rouge) bordé de pins. Au sommet,

🐚 Villes, villages et sites traversés entre NÁJERA et SANTO DOMINGO DE LA CALZADA

INFORMATIONS PRATIQUES

Distances	Villes, villages, sites	Alt.	FON	REF	BAR	ALI	CAS	RES	HOT	DAB	PH	BIV
- 589 km	Nájera	500	✪	✪	✪	✪	✪	✪	✪	✪	✪	
à 5,6 km	Azofra	550	✪	✪	✪	✪	✪	✪	✪		✪	✪
à 8,2 km	golf + lotissements	730	E		✪		✪	✪				
à 1,1 km	Cirueña	740	E	✪	E		E	E	C			
à 5,9 km	Santo Domingo de la Calzada	640	✪	✪	✪	✪	✪	✪	✪	✪	✪	

REFUGES

AZOFRA

• Grand refuge municipal, construit en 2004 dans le bas du village. Moderne et confortable. 60 places. Cuisine. Tél. : 941 37 92 20. 6 €.

• Petit refuge paroissial accolé à l'église. 16 places. Tél. : 941 37 90 57.

CIRUEÑA

• Refuge privé « La Virgen de Guadalupe » ouvert en 2009, 14 places. 10 € Ouvert de mars à octobre. Tel. : 638 92 40 69.

SANTO DOMINGO DE LA CALZADA

• Casa de la Cofradía del Santo où le pèlerin est toujours reçu chaleureusement, à bras ouverts. Beau, grand et très ancien refuge, qui, voilà quelques années, fut présenté comme un exemple à Sa Majesté Doña Sofia, reine d'Espagne. Admirablement rénové en 2008, modernisé et très confortable. Cuisine. 72 places. Calle Mayor, 42. Tél. : 941 34 33 90. ✝

• De mai à octobre, un refuge tenu par les sœurs cisterciennes accueille les pèlerins dans la même rue. 34 places. Tél. : 941 34 05 70. ✝

Santo Domingo. Semaine Sainte

À VOIR ET À SAVOIR

AZOFRA

• **Iglesia Santa María de los Angeles :** outre les statues de saint Jacques et de saint Martin, cette église (restaurée en 1998) abrite un étonnant Christ en Croix du XIVe siècle (avec de petites jambes et des bras démesurés).

• **Fuente de los Romeros**, fontaine des pèlerins (à la sortie du village).

SANTO DOMINGO DE LA CALZADA

• Saint bâtisseur du XIe siècle, ce moine bénédictin consacra sa très longue vie, avec son disciple san Juan de Ortega, à aménager le Chemin de Saint-Jacques et à y implanter de nombreux hôpitaux de pèlerins.

• **Catedral del Salvador :** romane du XIe siècle, elle fut remaniée et réaménagée au cours des siècles suivants. La tour indépendante ne fut érigée qu'au XVIIIe siècle. On peut y voir (entre autres) le tombeau du saint ainsi qu'un couple de volailles vivantes situé près de l'entrée. Leur surprenante présence commémore ici le « Miracle du Pendu-dépendu ». On peut regretter qu'en dehors des horaires des messes, la visite de la cathédrale soit payante.

• **Le Miracle du pendu-dépendu :** miracle remontant aux débuts du pèlerinage. On ne le situe pas précisément, mais tout laisse présumer qu'il aurait bien eu lieu à Santo Domingo de la Calzada : Une famille de pèlerins s'arrête dans une auberge. Le grand fils repousse les avances de la serveuse. Celle-ci, pour se venger, place une timbale en argent dans la besace du jeune homme avant de le dénoncer pour vol et le faire condamner à la pendaison. La famille se rend à Santiago pour prier l'apôtre. À leur retour, après l'exécution de la sentence, ils passent aux pieds de leur fils ; *pendu, mais toujours vivant.* Ils racontent cette histoire à l'homme de loi qui mangeait des volailles rôties. Ne les croyant pas, l'homme déclare : « Votre fils n'est pas plus vivant que ces deux volailles que je m'apprête à dévorer ! » Aussitôt, les volailles se levèrent de leur plat et se mirent à chanter.

• **Hospital Santo Domingo** (du XIe siècle) : transformé en « Parador Nacional ».

• **Pont sur le río Oja :** il fut aussi construit par Santo Domingo (au XIe siècle). Le río Oja aurait donné son nom à la province.

PERSONNAGES DU CAMINO

• María (de Azofra)
Elle s'occupe de l'accueil des pèlerins avec énormément de cœur dans le très sympathique refuge paroissial d'Azofra.

OÙ MANGER CONVENABLEMENT ?

AZOFRA
• *El Camino de Santiago.*

CIRUEÑA
• Bar-restaurant "Los Arcos".

SANTO DOMINGO DE LA CALZADA
• Bar-restaurant "Los Arcos". C/Mayor.

HORAIRES DES MESSES

Villes, villages, sites	Semaine	Samedi	Dimanches et fêtes
Azofra	Mercredi et vendredi 19 h 00 (hiver 18 h 00)	18 h 45 (hiver) 19 h 45	11 h 45
Ciriñuela			10 h 00
Santo Domingo De La Czda	Nombreux offices	Nombreux offices	Nombreux offices

DE **Santo Domingo de la Calzada**
À **Belorado**

Frontière La Rioja-Burgos (Castilla y León)

Au cours de cette étape, le Chemin est ponctué de villages dont les églises sont parfois tout à fait remarquables.
Aujourd'hui, vous allez pénétrer dans la province de Burgos, en Castilla y León ; vaste région que vous ne quitterez que pour entrer en Galice, à environ cent cinquante kilomètres de Santiago.

Chemin

Pour sortir de Santo Domingo, il existe plusieurs possiblités pour rejoindre la bretelle de la N.120 (en direction de Burgos, évidemment). Là, vous traversez le río Oja. Bientôt (après le km 47), la bretelle rejoint la grande N.120. Passez au pied d'une Croix érigée (La Cruz de Los Valientes) et poursuivez sur la piste parallèle à la route. Vous ne la quittez qu'après le K.49, en prenant une piste sur la gauche. Après quelques mètres sur la droite, une autre piste traverse un río et monte à **Grañón**.

Vous sortez du village par une forte descente suivie, quelque temps après, d'une belle montée. Au sommet, un panneau vous annonce que vous quittez La Rioja pour pénétrer dans la Province de Burgos, en Castilla y León. Peu après, le chemin redescend en se rapprochant de la N.120, pour ne la rejoindre qu'à **Redecilla del Camino**. Traversez le village et retournez bientôt près de la N.120, jusqu'à **Castildelgado**. Persistez encore quelques instants sur une piste parallèle à la grand-route et prenez la petite route qui part à gauche pour **Viloria de Rioja** (village natal de santo Domingo de la Calzada). Après avoir traversé Viloria, empruntez une autre petite route (vers la droite) qui vous rejette près de la N.120, que vous suivez encore jusqu'à **Villamayor del Río**. Là, prenez un chemin (à gauche de la N.120) qui passe à droite du cimetière. Ce chemin, après avoir croisé une petite route, rejoint tranquillement à nouveau la grand-route. Après trois cents mètres environ (peu après le km 65), traversez pour prendre un chemin sur la droite. Un kilomètre plus loin, vous arrivez devant le refuge paroissial de **Belorado** (à droite de l'église Santa María).

🐚 Villes, villages et sites traversés entre SANTO DOMINGO DE LA CALZADA et BELORADO

INFORMATIONS PRATIQUES

Distances	Villes, villages, sites	Alt.	FON	REF	BAR	ALI	CAS	RES	HOT	DAB	PH	BIV
- 568,2 km	Santo Domingo de la Calzada	640	✪	✪	✪	✪	✪	✪	✪	✪	✪	
à 7,1 km	Grañón	725	✪	✪	✪	✪	✪			✪	✪	✪
à 4,2 km	Redecilla del Camino	750	✪	✪	✪	✪	✪	✪				✪
à 1,8 km	Castildelgado	770	✪		✪	✪	✪	✪	✪			
à 1,9 km	Viloria de Rioja	805	✪	✪	w							✪
à 3,4 km	Villamayor del Río	790	✪	✪	✪		✪	✪	?			
à 4,8 km	Belorado	770	✪	✪	✪	✪	✪	✪	✪	✪	✪	

REFUGES

GRAÑÓN
• Refuge paroissial San Juan Bautista, derrière l'église. Le fait que l'on dorme sur un tapis à même le sol n'empêche en rien de bien récupérer et d'y trouver une ambiance très chaleureuse et chrétienne. ✝
• Albergue juvenil « Carrasguedo », située à l'écart du village. Tél. : 941 74 60 00.

REDECILLA DEL CAMINO
• Refuge municipal réaménagé en 2004, face à l'église (derrière le bar). Calle Mayor 24. 40 places. Tél. : 947 58 02 83.

VILORIA DE RIOJA
• Parrainé par l'écrivain Paulo Coelho, ce refuge privé fut ouvert en 2007 par le célèbre Brésilien Acacio et l'Italienne Orietta, au 6 de la Calle Nueva. Ouvert de mars à novembre. 10 places. Tél. : 679 94 11 23/947 58 52 20. 5 €.

Redecilla : fonts baptismaux romans

VILLAMAYOR DEL RÍO
• À 200 m, sur la petite route allant à Quintanilla del Monte. Refuge « San Luis de Francia ». Ouvert en été 2003. 30 places. Ils font aussi taxi. Tél. : 947 58 05 66/639 35 02 72.

BELORADO
• Juste avant l'église Santa María, se trouve le refuge paroissial. Aménagé dans un ancien théâtre, celui-ci conserve un charme particulier. 56 places. Cuisine. Tél. : 947 58 00 85/692 83 04 68. ✝

• A l'entrée de Belorado, refuge privé « A Santiago ». 90 places. D'avril à septembre. Piscine. 5 €. Tél. : 677 81 18 47/947 56 21 64.
• « El Caminante ». 22 places. Calle Mayor, 36. De mars à octobre. 5 €. Tél. : 947 58 02 31/656 87 39 27.
• Un agréable refuge privé nommé « Cuatro Cantones » a été ouvert en 2002. Grand jardin avec piscine. 62 places, borne Internet, chambre pour les ronfleurs. Cuisine. Calle Hipólito López Bernal, 10. Tél. : 947 58 05 91 et 696 42 77 07. 5 €.
• Refuge « El Corro », municipal de gestion privée, ouvert en 2005. 42 places. Cuisine. Tél. : 947 58 06 83/670 69 11 73.

À VOIR ET À SAVOIR

GRAÑÓN
• **Iglesia San Juan Bautista** (du XIVe siècle) : magnifique retable du XVIe siècle (Renaissance).

REDECILLA DEL CAMINO
• **Iglesia de la Virgen de la Calle** (XIVe siècle) qui renferme de remarquables fonts baptismaux romans monolithiques (du XIe siècle) représentant la Jérusalem Céleste.

VILORIA DE RIOJA
• Village natal de santo Domingo de la Calzada. Son église conserve les fonts baptismaux qui auraient servi pour le baptême du saint (au XIe siècle).

BELORADO
• **Iglesia Santa María** (XVIe siècle), qui possède (entre autres) un retable de pierre dédié à saint Jacques ainsi qu'une Vierge assise du XIIe siècle.
• **Grottes d'anachorètes**.

Clocher de Grañon

HORAIRES DES MESSES

Villes, villages, sites	Semaine	Samedi	Dimanches et fêtes
Grañon	19 h 00	20 h 00	13 h 00
Redecilla			13 h 30
Castildelgado			12 h 30
Viloria de Rioja			10 h 30
Villamayor			11 h 00
Belorado	9 h 00, 19 h 30	9 h 00, 19 h 30	9 h/11 h/13 h/18 h 30

DE **Belorado**
À **San Juan de Ortega**

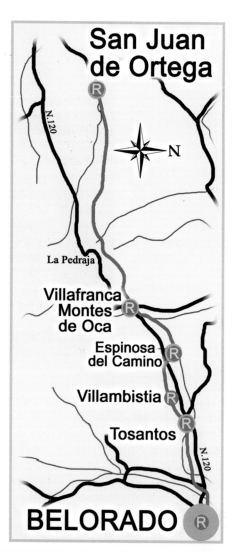

San Juan de Ortega

Durant cette étape (jusqu'à Villafranca Montes de Oca), le Camino passe fréquemment près de la N.120. Ensuite, le chemin grimpera pour découvrir des paysages tout aussi beaux qu'inquiétants. Telle une oasis spirituelle, le monastère de San Juan était, est, et sera à tout jamais, une halte quasi obligatoire pour les pèlerins.

🐚 Chemin

Sortez de Belorado par la calle Mayor puis par une piste sur près d'un kilomètre. Suivez ensuite la N.120 sur environ huit cents mètres, traversant le río Tirón. Peu après, prenez (à gauche) un chemin parallèle à la grand-route. Celui-ci vous mène, quelques kilomètres plus loin, devant une fontaine et une parada qui précèdent **Tosantos** de trois cents mètres. Traversez ce village.

Prenez ensuite un chemin de terre passant à travers champs, jusqu'à **Villambistia**. Suivez bientôt un chemin à peu près semblable aux précédents qui, peu après, vous rabat sur la N.120. Franchissez-la pour entrer plus loin dans **Espinosa del Camino**. À la sortie du village, prenez un chemin qui monte sur votre droite pour évidemment redescendre quelques centaines de mètres plus loin. C'est ainsi que vous passez devant les **vestiges du monastère de San Felix**.

Rejoignez et suivez prudemment la N.120. Après avoir traversé le río Oca, vous entrez dans **Villafranca Montes de Oca**. Montez au village en faisant très attention à l'infernal trafic de poids lourds. Quittez cette route en prenant un chemin qui grimpe très fort à droite de l'église. Après encore quelques efforts vous parvenez devant la **fontaine de Mojapán**, aménagée en petite *parada de peregrinos* (aire de repos pour pèlerins).

Après encore une montée, vous voilà arrivé sur les tant redoutés **monts de Oca**. Peu après, vous arrivez devant un **monument aux Morts de la Guerre civile espagnole (1936-1939)**. De là, descendez fortement et, après le passage d'un misérable petit ruisseau, remontez tout autant de l'autre coté. Vous débouchez alors sur une large piste coupe-feu,

bordée par une forêt très dense. Suivez-la, de façon quasi rectiligne sur près de cinq kilomètres, jusqu'à un beau chemin que vous prenez légèrement vers la gauche. De là, peut-être vous sera-t-il déjà possible de percevoir le tintement des cloches de **San Juan de Ortega**. Le hameau vous sera visible peu après. Le refuge se trouve dans l'enceinte même du monastère.

Villes, villages et sites traversés entre BELORADO et SAN JUAN DE ORTEGA

INFORMATIONS PRATIQUES

Distances	Villes, villages, sites	Alt.	FON	REF	BAR	ALI	CAS	RES	HOT	DAB	PH	BIV
- 545 km	Belorado	770	✪	✪	✪	✪	✪	✪	✪	✪	✪	
à 4,9 km	Tosantos	820	✪	✪	✪							
à 1,9 km	Villambistia	860	✪	✪	✪		✪					✪
à 1,7 km	Espinosa del Camino	895	✪		✪	✪	✪					
à 3,4 km	Villafranca Montes de Oca	950	✪	✪	✪	✪	✪	✪	✪			
à 1,5 km	Fuente de Mojapán	1085	✪									✪
à 2,2 km	Monument à Los Caidos	1155										
à 1,6 km	Alto de La Pedraja	1165										
à 6,9 km	San Juan de Ortega	1050	✪	✪	✪		✪	✪				✪

REFUGES

TOSANTOS
• En 2002 s'est ouvert le refuge «San francisco de Asis» dans une vieille maison; dans le village, juste avant de traverser la route, sur la gauche. Cuisine. 20 places à même le sol. Accueil chrétien. Tél.: 947 58 03 71. ☩

VILLAMBISTIA
• Refuge municipal ouvert en 2007 au centre du village. 20 places. De février à octobre. 6 €. Tél.: 649 49 71 43. albertguevillanbistia@yahoo.es. Chambre pour ronfleurs.
• Projet de refuge privé.

ESPINOSA DEL CAMINO
• Petit refuge «La Campana» ouvert en été 2005 par un ancien pèlerin: Pepe. Ouvert de février à novembre. 10/12 places. Tél.: 678 47 93 61.

VILLAFRANCA MONTES DE OCA
• Grand refuge municipal aménagé dans d'anciennes écoles. Cuisine. 60 places. Tél.: 947 58 21 24/687 59 42 96. 6 €.
• Tous les étés, depuis déjà de nombreuses années, un campement (tentes militaires) est dressé sur un terrain près de l'église.

Villafranca Montes de Oca

• Refuge/hôtel « San Antón Abad ».
18 places. Tél. : 947 58 21 50.

SAN JUAN DE ORTEGA

• Dans le monastère. Grand refuge géré par une fondation depuis la mort du curé. Monument imposant, il reste impressionnant et même parfois inquiétant. 60 places. Cuisine. Tél. : 947 56 04 38. De mars à octobre. 5 €.

À VOIR ET À SAVOIR

RUINES DE SAN FELICES (peu avant Villafranca Montes de Oca)

• Vestiges d'un ancien monastère du IXe siècle.

VILLAFRANCA MONTES DE OCA

• **Iglesia Santiago** (du XVIIIe siècle) : elle possède deux statues de saint Jacques.

LOS MONTES DE OCA

• Lieu autrefois infesté de loups et de brigands, la traversée des monts de Oca constituait, pour le pèlerin médiéval, l'un des plus grands dangers du Chemin.

SAN JUAN DE ORTEGA

• Sanctuaire où reposent les restes de ce saint bâtisseur, disciple de santo Domingo de la Calzada.

• **Monastère et église** (construits vers 1 150) : **crypte** renfermant le corps du saint et un superbe sarcophage monolithique roman sculpté. Au-dessus de cette crypte se dresse un remarquable baldaquin cénotaphe. Le monastère subit actuellement de grands travaux de restauration. Une fois rénové, le site devrait retrouver son allure prestigieuse d'autrefois.

PERSONNAGE DU CAMINO

• Marcela (de San Juan de Ortega) Outre une excellente cuisinière, la patronne du bar est aussi une femme très sympathique. Souvent débordée, elle tente d'accueillir du mieux possible les pèlerins, aidée de son mari (José) et de leurs trois enfants. Ils viennent d'ouvrir un très confortable Centro de turismo rural à l'entrée du hameau.

HORAIRES DES MESSES

Villes, villages, sites	Semaine	Samedi	Dimanches et fêtes
Tosantos	Jeudi 17 h		12 h 00
Villambistia			11 h 00
Espinosa			10 h 00
Villafranca			13 h 00
San Juan De Ortega	19 h 00	19 h 00	19 h 00

San Juan de Ortega, pilier de l'Annonciation

DE **San Juan de Ortega**
À **Burgos**

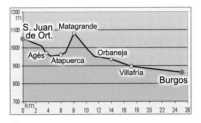

Burgos, la cathédrale

Longue étape passant par des panoramas magnifiques et sauvages. Jusqu'à Villafría, le chemin est plutôt agréable. À partir de cette même ville, vous entamerez la traversée de la zone industrielle de Burgos, respirant les gaz d'échappement des voitures et des camions embouteillés. Ce passage est certainement l'un des plus déplaisants du Camino !

Le pèlerin du XXIe siècle, ne courant presque plus aucun danger, doit parfois suivre son chemin sur la grand-route, en faisant pénitence et en assumant le développement industriel de son temps et de sa civilisation.

Avant d'entrer à Villafría, une alternative vous propose de contourner la zone industrielle en suivant le río Arlanzón.

*Si vous êtes avec une bicyclette de route, prenez la route vers la gauche. Peu après **Santovenia**, suivez une senda parallèle à la N.120 sur plus de vingt kilomètres, en passant par **Zalduendo, Ibeas de Juaros** et une base militaire jusqu'à Burgos.*

Chemin

Sortez de San Juan par la route puis, en continuant en face par un chemin forestier. Traversez bientôt des pâturages, où souvent paissent de paisibles vaches charolaises d'un gabarit impressionnant. À hauteur d'une croix, prenez une piste (légèrement sur votre droite) qui descend jusqu'à **Agés**. Traversez le village et suivez une petite route qui débouche à **Atapuerca** (2,6 kilomètres plus loin). À la sortie du village, prenez le chemin qui monte très fortement sur les hauteurs du **Matagrande**, le long des terrains d'exercices militaires. Au sommet, peu après une **croix**, vous découvrez une remarquable vue plongeante sur la ville de Burgos. Dévalez dans la lande. Bientôt, vous débouchez sur une piste desservant une carrière. Prenez-la vers la gauche, dos à la carrière.

Prenez vers la gauche, pour bientôt arriver dans le village de **Villaval**. Là, une petite route vous mène à **Cardeñuela Ríopico**. Continuez quelque peu encore de la même façon jusqu'à **Orbaneja Ríopico**.

Devant l'«**Urbanización Río Pico**», après avoir traversé l'auto-route, deux possibilités s'offrent à vous :

A • Continuez la route et traversez la voie de chemin de fer, pour entrer dans **Villafría de Burgos**. À partir de là, il vous faut longer la N.1. Continuez sur plusieurs kilomètres, par toute la zone industrielle, jusqu'à **Gamonal**. Ensuite, par la calle Victoria, vous arrivez enfin dans **Burgos**.

B • Prenez à gauche une piste qui bientôt, passe entre l'autoroute et l'aéroport. Rejoignez ainsi **Castañares**. Attrapez le río Arlanzón et suivez-le jusqu'au centre-ville de **Burgos**.

🐚 Villes, villages et sites traversés entre SAN JUAN DE ORTEGA et BURGOS

INFORMATIONS PRATIQUES

Distances	Villes, villages, sites	Alt.	FON	REF	BAR	ALI	CAS	RES	HOT	DAB	PH	BIV
- 520,9 km	San Juan de Ortega	1050	○	○	○		○					○
à 3,6 km	Agés	970	○	○	○	○	○	○	C			
à 2,6 km	Atapuerca	960	○	○	○	○	○	○	C			
à 2,4 km	Alto (croix) de Matagrande	1080										
à 1,9 km	Villalval	980	?									
à 1,8 km	Cardeñuela Río Pico	925	○	○	○		○	○	○			
à 2 km	Orbaneja Río Pico	905	○		○		○		C			
à 1,0 km	Urbanización Río Pico	910										
à 2,6 km	Villafría de Burgos	895	○		○	○	○	○	○		○	
à 3,9 km	Gamonal	885	○		○	○	○	○	○	○	○	
à 4 km	Burgos	860	○	○	○	○	○	○	○	○	○	

Alternative entre Atapuerca et Matagrande par Olmos

Distances	Villes, villages, sites	Alt.	FON	REF	BAR	ALI	CAS	RES	HOT	DAB	PER	PH
–	Atapuerca	960	○	○	○		○	○	C			
à 2,8 km	Olmos de Atapuerca	950	○	○	○		○	○	C			
à 2,3 km	Alto de Matagrande	1080										

Alternative entre Orbaneja et Burgos, par Castañares et le rio Arlanzón

Distances	Villes, villages, sites	Alt.	FON	REF	BAR	ALI	CAS	RES	HOT	DAB	PH	BIV
–	Urbanización Río Pico	910										
à 3,9 km	Castañeres	885	○		○		○	○	○			
à 7,3 km	Burgos	860	○	○	○	○	○	○	○	○	○	

REFUGES

AGÉS
• Maison d'accueil « Caracol », ouvert en 2005, rue de l'église. 10 places. Tél. : 947 43 04 13. ✝
• Gîte municipal « San Rafael ». Ouvert en 2005. 38 places. Tél. : 947 43 03 92 et 661 26 32 89. 7 €.
• Gîte privé « El Pajar ». 38 places. Tél. : 947 40 06 29/629 27 38 56. 10 €, avec le petit-déjeuner.

ATAPUERCA
• Refuge privé « El Peregrino », ouvert en septembre 2005 en bas du village. 36 places. Cuisine. Tél. : 661 58 08 82. 7 €.

OLMOS DE ATAPUERCA
(à 2, 8 km d'Atapuerca)
• Refuge municipal confortable, près de l'église du village. Cuisine. 33 places. Tél. : 947 43 03 28. 6 €.

CARDEÑUELA RIO PICO
• Refuge municipal ouvert en 2004. 16 places. Clefs au bar. Tél. : 947 43 09 11.

BURGOS
• Refuge « Santiago y Sta Catalina » au-dessus de la chapelle de La Divina Pastora, en centre-ville. 18 places. ✝
• Magnifique refuge « Casa de peregrinos Emaús » de la paroisse San José Obrero, calle San Pedro Cardeña, 31 bis. De Pâques à Novembre. ✝

• Refuge moderne situé à la « Casa de los Cubos » (bâtiment du XVIᵉ siècle), dans la calle Fernan González, 28, dans le centre-ville. Rens. : 947 46 09 22. 158 places, toute l'année. 3 €.

À VOIR ET À SAVOIR

ATAPUERCA
(village archéologique)
• En 1054, Atapuerca fut le théâtre d'une redoutable bataille ayant vu mourir le roi Garcia de Navarre dans une guerre fratricide.
• Près de là, dans « la Sima del Elefant », ont été découverts les restes de l'hominidé le plus ancien d'Europe de l'ouest (**Homo antecessor** 1 200 000 ans).

GAMONAL (faubourg de Burgos)
• **Iglesia Santa María la Real y Antigua** (du XIIIᵉ siècle).

BURGOS (cité du Cid)
• Rebâtie et repeuplée par Alfonso III (le Grand), roi de León, au IXᵉ siècle. Ancienne capitale de la Vieille Castille. Patrie du combattant des Maures : le célèbre Rodrigue Diaz de Bivar (le Cid). Le Gouvernement national franquiste s'y était établi durant la guerre civile.
• **Catedral Santa María** (des XIIIᵉ et XVIᵉ siècles), chef-d'œuvre gothique d'influence française. Admirable dentelle de pierre. Escalier des Apô-

Panorama du Matagrande, avec Burgos au loin

Burgos – Arco Santa Maria

tres du XVIᵉ siècle; croisée de transept (60 mètres de haut); retable Renaissance (du XVIᵉ siècle); les stalles (œuvre du sculpteur Philippe de Bourgogne, au XVIᵉ siècle) et le fameux Papamoscas, en levant la tête.

• **Iglesia San Lesmes.** Saint Patron de la ville et protecteur des pèlerins. Elle renferme une multitude de symboles jacquaires.

• **El Arco Santa María** (des XVᵉ et XVIᵉ siècles) avec une tour du XIIᵉ siècle. La façade fut érigée à la gloire de Charles Quint, au XVIᵉ siècle, sur le pont du même nom.

• **La Chartreuse de Miraflores** (du XVᵉ siècle), abrite des tombeaux de rois de Castille.

• **Monastère cistercien de las Huelgas Reales** (fondé au XIIᵉ siècle) cloître roman; l'église gothique renferme également des tombeaux d'autres rois de Castille.

• **Petite chapelle San Amaro** Saint pèlerin français qui consacra sa vie à accueillir et soigner les pèlerins (XIIIᵉ siècle).

• **El Hospital del Rey** (XIIᵉ siècle).

HORAIRES DES MESSES

Villes, villages, sites	Semaine	Samedi	Dimanches et fêtes
Agès			11 h 00
Atapuerca			12 h 15
Olmos de Atapuerca			13 h 00
Cardenuela			10 h 30
Orbaneja Ríopico			12 h 30
Castañares			11 h 30
Burgos	Nombreux offices	Nombreux offices	Nombreux offices

DE **Burgos**
À **Hornillos del Camino**

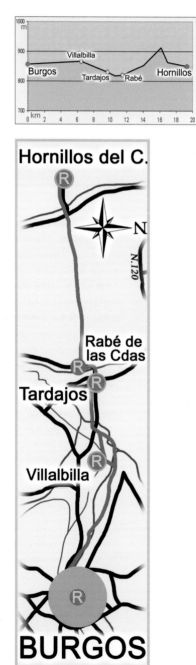

La Meseta (verte au printemps)

Cette étape, relativement courte, vous permettra (si vous n'en avez pas eu le temps et le courage la veille) d'approfondir la visite de Burgos et de ses monuments. Durant cette journée, vous entamerez déjà de hauts plateaux cultivés dépourvus d'arbres. Terribles lorsque le soleil cogne, vous marcherez par intermittence sur ce désert que l'on appelle : la Meseta ou le Páramo (jusqu'aux portes d'Astorga). Cependant, ces grandes étendues à perte de vue vous offrent un spectacle hallucinant, presque féerique, où un fort sentiment de silence, de solitude et d'éternité prend une dimension inhumaine et transcendante.

« Le Pays de la soif » !

À la sortie de Burgos (entre Los Guindales et Tardajos), le tracé historique du Chemin a dû laisser la place à la nouvelle autoroute et au train à grande vitesse. Le nouveau fléchage est encore hésitant et tente de s'adapter.

Chemin

Quittez Burgos par le parc El Parral. Vous débouchez ainsi devant la Ermita San Amaro, près de la Puerta de los Romeros (porte de pèlerins) et de l'Hospital del Rey. Tournez à droite et longer la N.120 (vers la gauche) durant quelques centaines de mètres, le long de bâtiments. Après la nouvelle école polytechnique, prenez une petite route vers la droite, en direction de los Guindales. Après être donc passé devant **los Guindales** (centre de sauvegarde d'espèces végétales protégées), la petite route perd son bitume, devenant une piste qui vous fait bientôt passer sous une peupleraie.

Poursuivez ensuite jusqu'à une *ermita* (chapelle près d'un lotissement fantôme). Prenez à gauche si vous souhaitez passer par **Villalbilla**. Sinon, continuez jusqu'aux voies de train à grand vitesse et l'autoroute. Passez dessous, dessus, au milieu d'un enchevêtrement de voies de toutes sortes.

Retrouvez ensuite notre chère N.120, suivez-la sur 1,7 km, par une piste parallèle, jusqu'à **Tardajos**. Traversez ce village et prenez la petite route de Rabé. Cet innocent passage (entre Tardajos et Rabé), fut autrefois un passage très redouté par les pèlerins, tant les crues de l'Urbel et de l'Arlanzón étaient mortelles. Vous arrivez donc sain et sauf à **Rabé de las Calzadas**. Traversez le village par sa placette,

égayée par une belle fontaine rafraîchissante. Prenez alors un chemin et, après un peu plus de deux kilomètres de montée, vous passez à proximité de la **fontaine** (à pompe) **Praotorre** et son abri. Environ trois kilomètres plus loin (toujours sur les plateaux de la *Meseta*), la piste redescend fortement sur la vallée d'Hornillos. Ainsi, vous entrez bientôt dans le charmant petit village de **Hornillos del Camino**.

Fuente de Praotorre

🐚 Villes, villages et sites traversés entre BURGOS et HORNILLOS DEL CAMINO

INFORMATIONS PRATIQUES

Distances	Villes, villages, sites	Alt.	FON	REF	BAR	ALI	CAS	RES	HOT	DAB	PH	BIV
- 495,1 km	Burgos	860	⚬	⚬	⚬	⚬	⚬	⚬	⚬	⚬	⚬	
à 1,8 km	Parc « El Parral »	850	⚬									⚬
à 4,0 km	Ermita	840										
à 5,2 km	Tardajos	830	⚬	⚬	⚬	⚬	⚬	⚬	⚬	⚬		
à 1,8 km	Rabé de las Calzadas	830	⚬	⚬	E							⚬
à 2,6 km	Fuente de Praotorre	870	⚬									⚬
à 5,2 km	Hornillos del Camino	830	⚬	⚬	⚬	⚬	⚬		C			⚬

Alternative par Villalbilla

Distances	Villes, villages, sites	Alt.	FON	REF	BAR	ALI	CAS	RES	HOT	DAB	PH	BIV
–	Ermita	840										
à 1,1 km	Villalbilla	840	⚬	⚬	⚬	⚬	⚬	⚬	⚬			
à 4,6 km	Tardajos	830	⚬	⚬	⚬	⚬	⚬	⚬	⚬	⚬		

Descente sur Hornillos del Camino

REFUGES

VILLALBILLA DE BURGOS
• Calle del Sacrado Corazón de Jesús. Petit refuge simple et sans grand confort dans ce petit village tranquille. 14 places. Tél. : 947 29 12 10 (mairie).

TARDAJOS
• Petit refuge géré par l'association jacquaire de Madrid. Ambiance familiale et agréable. 18 places. Tél. : 947 45 11 89 (mairie).

RABÉ DE LAS CALZADAS
• Refuge Ospital-Albergue « Santa Marina y Santiago », aménagé dans un ancien hôpital de pèlerins par Michèle et Félix, pèlerins multirécidivistes. Ils y ont élaboré un étonnant musée vertical du Camino. 8 places. Tél. : 670 97 19 19. 10 €.
• Nouveau refuge privé « Liberanos Domine », aménagé en 2009 dans une vieille bâtisse. 24 places. Tél. : 695 11 69 01.

HORNILLOS DEL CAMINO
• Refuge municipal près de l'église. Cuisine. 32 + 14 places. Tél. : 947 41 10 50. 5 €.
En cas de grande affluence, la mairie met à disposition des pèlerins la mairie et le centre sportif.

À VOIR ET À SAVOIR

RABÉ DE LAS CALZADAS
• **Iglesia Santa María** (du XIIIe siècle).

HORNILLOS DEL CAMINO
• **Iglesia** (en partie du IXe siècle).

OÙ MANGER CONVENABLEMENT ?

Villalbilla
• *La Posada del Duque*

HORAIRES DES MESSES

Villes, villages, sites	Semaine	Samedi	Dimanches et fêtes
Villalbilla	18 h 45	18 h 45	12 h 30
Tardajos	18 h 30	9 h 30	12 h 30
Rabé de las Calzadas	11 h 00	11 h 00	11 h 00
Hornillos del Camino	Jeudi 18 h		10 h 00

DE **Hornillos del Camino**
À **Castrojeriz**

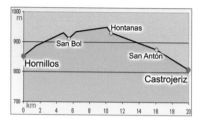

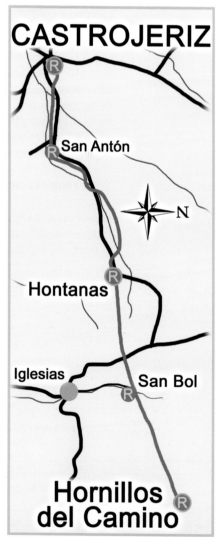

San Bol

Outre les magnifiques paysages désertiques traversés, cette très belle étape dans la Meseta pourra être enrichie par d'éventuelles rencontres avec les diverses personnalités du Camino que vous aurez peut-être la chance de croiser.

Chemin

Au sortir de Hornillos, remontez sur les hauts plateaux de la *Meseta*. Le paysage, toujours aussi désertique, se confirme. Au bout de quelques kilomètres, vous passez par la petite vallée dans laquelle coule **l'Arroyo San Bol** (ou Sambol). Là, à 250 mètres sur votre gauche (à l'écart du Chemin), se trouve, telle une oasis providentielle, un très agréable petit refuge rudimentaire qui vaut le détour. Pouvant également servir de halte (avec une fontaine-piscine bien fraîche), c'est l'endroit idéal pour faire une petite sieste à l'ombre des peupliers. Reprenez le chemin et, quelques kilomètres plus loin, vous traversez une petite route et continuez en face. Le Chemin est tracé de façon quasi rectiligne,

sur encore quelques autres kilomètres, puis plonge soudainement sur le ravissant village de **Hontanas** (qui restait invisible jusqu'alors). Descendez fortement pour le traverser, en passant devant le bar de Victorino et devant le refuge municipal (un peu plus bas). Ensuite, suivez la route de Castrojeriz sur quelques centaines de mètres et, par un chemin sur votre droite, traversez un ruisseau. Continuez ce chemin plus ou moins parallèle à la route, passez devant les ruines d'une église et bientôt devant une tour médiévale (également délabrée). Retrouvez, quelque temps après, la route de Castrojeriz que vous suivez sur la droite. Celle-ci passe bientôt sous une grande arche (vestiges de l'ancien couvent **San Antón**). En suivant encore la route sur quelques kilomètres, vous arrivez à l'entrée de **Castrojeriz**; petite ville allongée sur le flanc d'une colline, surplombée par un très ancien château fort. Prenez (à droite) la rue qui vous fera passer (deux cents mètres plus loin) devant la **Collégiale royale Nuestra Señora del Manzano**. Obliquez ensuite vers la gauche pour traverser cette bourgade.

🐚 Villes, villages et sites traversés entre HORNILLOS DEL CAMINO et CASTROJERIZ

INFORMATIONS PRATIQUES

Distances	Villes, villages, sites	Alt.	FON	REF	BAR	ALI	CAS	RES	HOT	DAB	PH	BIV
– 474,5 km	Hornillos del Camino	830		✪	✪	✪	✪	✪	C			✪
à 5,7 km	Arroyo de San Bol	900	✪	✪								✪
à 4,9 km	Hontanas	880	✪	✪	✪	✪	✪	✪	C			✪
à 5,6 km	Arco de San Antón	810		✪								
à 3,8 km	Castrojeriz	810	✪	✪	✪	✪	✪	✪	✪	✪	✪	✪

REFUGES

ARROYO SAN BOL
• À 250 mètres du Camino, sur la gauche, il existe un petit refuge municipal de gestion privée. Refuge oasis de 12 places, perdu dans la *Meseta*. Propre mais sans confort, offrant aux pèlerins une tranquillité extraordinaire dans un calme de rêve. Même pour y prendre un verre, le site vaut largement le petit détour. Il est fermé tout l'hiver. Tél. : 696 85 87 70. 5 €.

HONTANAS
• Refuge « Santa Brigida », ouvert en 2010. Calle Real, 15. Cuisine. 14 places. 5 €. Tél. : 628 92 73 17.
• Refuge municipal confortable, aménagé avec audace et avec goût. 55 places. C/real, 26/27. Tél. : 947 37 70 21.
• Refuge privé « El Puntido ». 40 places. Tél. : 947 37 85 97. 5 €.

SAN ANTÓN
• Sur une initiative privée courageuse, s'est ouvert, en 2002, un refuge dans ces ruines majestueuses. Ambiance chaleureuse. Simple, sans confort superflu. 12 places. Tél. : 607 92 21 27.

CASTROJERIZ
• À proximité de la mairie. Refuge municipal « San Esteban », ouvert en 2001. Ambiance chaleureuse. 30 places. Tél. : 629 12 39 85.
• Refuge Resti. Dans un bâtiment ancien et pittoresque. 28 places. Calle Cordón. Tél. : 947 37 74 00.
• Refuge privé « Casa Nostra ». 26 places, cuisine. Tél. : 947 37 74 93. Toute l'année.
• Gîte privé dans le camping Castrojeriz. 40 places. De mai à octobre. Tél. : 947 37 72 55.

À VOIR ET À SAVOIR

SAN BOL
• Vestiges de l'ancien monastère San Baudilla. L'actuel refuge a été aménagé avec ce qu'il restait de l'ancienne léproserie.

HONTANAS
• **Iglesia de la Imaculada Concepción** (du xive siècle).

SAN ANTÓN
• Ancien couvent en ruine (du xive siècle) ayant appartenu à l'ordre de saint Antoine. Un arc monumental enjambe la petite route.

Jadis, les pèlerins y recevaient les soins et le couvert. Les Antoniens étaient réputés pour guérir de graves maladies contagieuses, telles que la peste ou la lèpre.

CASTROJERIZ
• **Real Colegiata de Nuestra Señora del Manzano** (du XIIIe au XVIIIe siècle).
• **Ruines du château Castrum Sigerici** (du XIV-XVe siècle avec des vestiges romains du IIe siècle), surplombant le village.

San Antón

• **Iglesia Santo Domingo** (du XVIe siècle).
• **Iglesia gótica San Juan**.
• **Monasterio Santa Clara**, fondé au XIIe siècle par le roi Alfonso X « el Sabio ». Messe chantée tous les matins à 8 h 30.

PERSONNAGES DU CAMINO

• Victorino (de Hontanas)
Ce petit personnage surprenant est fameux pour le style acrobatique avec lequel il boit au *porrón* (récipient en verre avec un tout petit bec verseur pour boire à la régalade) et son irrésistible façon de séduire les jolies femmes…

• Ovidio (de San Antón)
Pèlerin, écrivain et avocat, issu d'une grande famille de Burgos, Ovidio a relevé le défi d'acquérir les ruines du couvent de San Antón et d'y ouvrir un refuge. Restaurant peu à peu cet édifice, il lui redonne ainsi sa fonction originale.

OÙ MANGER CONVENABLEMENT ?

CASTROJERIZ
• *La Taberna*
• *El Mesón.*

HORAIRES DES MESSES

Villes, villages, sites	Semaine	Samedi	Dimanches et fêtes
Hontanas			10 h 00 ou 12 h 30
Castrojeriz	08 h 30, 19 h 00	idem	08 h 30, 11 h, 13 h

DE **Castrojeriz**
À **Frómista**

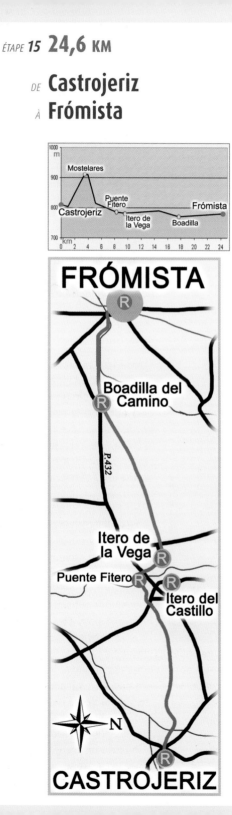

Frómista : église San Martín

Étape agréable, durant laquelle vous quitterez la province de Burgos pour celle de Palencia (toujours en Castilla y León). Les canaux traversés (travaux colossaux réalisés aux XVIIIe et XIXe siècle) témoignent bien des besoins d'irrigation de ces terres arides, jadis difficilement cultivables.

Chemin

Sortez de Castrojeriz par une petite route. Prenez ensuite un chemin qui bientôt traverse une route et le río Odrilla. Peu après, celui-ci grimpe très fortement, sur quelques centaines de mètres, jusqu'au **plateau de Mostelares**. Sur l'autre versant, vous découvrez un panorama magnifique, donnant sur le vaste bassin du Pisuerga, dans lequel vous dévalez par un chemin abrupt. Arrivé en bas, traversez les champs, sur quelques kilomètres, pour arriver à la très agréable **fuente del Piojo** (la fontaine du pou) et sa petite aire de repos. Au bord de celle-ci, attrapez la petite route et suivez-la sur moins d'un kilomètre. Prenez ensuite un chemin (sur votre gauche) qui passe bientôt devant la **ermita San Nicolás** (chapelle admirablement aménagée en refuge). Traversez le río Pisuerga par un remarquable **pont roman à onze arches : le Puente Fitero**. Sur l'autre rive, tournez à droite à hauteur de la borne vous informant que **vous êtes désormais dans la Province de Palencia**. Prenez donc la piste (à droite) qui longe plus ou moins le río, sur un peu plus d'un kilomètre, jusqu'à **Itero de la Vega**. Traversez Itero puis la route allant d'Astudillo à Orsono. L'interminable chemin d'en face vous mène, longtemps après avoir croisé le canal du Pisuerga, à **Boadilla del Camino**.

Traversez le village et prenez un chemin sur votre gauche qui, à environ un kilomètre, rejoint le **canal de Castille**. Suivez-le par un chemin de hallage durant quelques kilomètres, pour ne le traverser (par une ancienne écluse) qu'à l'entrée de **Frómista**. Là, pénétrez dans la bourgade, passez sous la voie de chemin de fer puis allez donc visiter la très belle **iglesia San Martín**.

☙ Villes, villages et sites traversés entre CASTROJERIZ et FRÓMISTA

INFORMATIONS PRATIQUES

Distances	Villes, villages, sites	Alt.	FON	REF	BAR	ALI	CAS	RES	HOT	DAB	PH	BIV
- 454,5 km	Castrojeriz	820	✪	✪	✪	✪	✪	✪	✪	✪	✪	✪
à 3,2 km	Plateau de Mostelares	910										
à 4,1 km	Fuente del Piojo	800	✪									
à 1,5 km	Puente Fitero (Itero del Castillo)	785		✪								
à 2 km	Itero de la Vega	780	✪	✪	✪	✪	✪	✪	✪			✪
à 8,1 km	Boadilla del Camino	780	✪	✪	✪	✪	✪	✪				✪
à 5,7 km	Frómista	780	✪	✪	✪	✪	✪	✪	✪	✪	✪	✪

REFUGES

FUENTE FITERO
• Avant le pont. Chapelle San Nicolás admirablement restaurée par les Italiens de la Confraternita San Jacopo et de l'ordre de Malte. Une rare qualité d'accueil. 12 places. ✠

ITERO DEL CASTILLO
(légèrement à l'écart)
• Ce petit village accueillant a mis à disposition depuis 40 ans un petit refuge simple et propre. Aussi, pouvez-vous vous alimenter dans le charmant petit bar du village. Ayutamiento. 12 places. Tél. : 947 37 73 37. Mardi et jeudi matin.

ITERO DE LA VEGA
• Refuge propre, face à l'église. 19 places. Tél. : 979 15 18 26.
• Refuge « Puente Fitero » dans l'hôtel à l'entrée du village. 20 places. Tél. : 979 15 18 22. 5 €.
• Refuge privé "La Mochila", au 3 de la Calle Santa Ana. Cuisine. 20 places. Tél. : 979 15 17 81.

BOADILLA DEL CAMINO
• Refuge privé « Putxu » ouvert en 2008 à l'entrée du village. Grand jardin. Ouvert toute l'année. 16 places. Cuisine. Tél. : 677 22 59 93 (réservation impossible).
• Beau refuge privé « En el Camino » ouvert en 2000, par une famille (Jesús, Begoña, Jesús et Edouardo). Face au Rollo de la Justicia, (la colonne gothique). 48 places. Piscine. Tél. : 979 81 02 84. 6 €.
• Petit refuge municipal rouvert en 2002 dans les anciennes écoles. 12 places. 3 €. Tél. : 979 81 03 90 et 979 81 07 86.

FRÓMISTA
• Refuge municipal. Plaza San Martín. 56 places. Tél. : 979 81 10 89/686 57 97 02. 7 €.
• Refuge privé « Infanta de Cas-

tilla », ouvert en été 2009. À l'écart, près de la gare ferroviaire. 42 places. Grand dortoir. Vastes salles de bain. Tél. : 979 81 01 93. 3 €.
• Refuge privé « Estrella del Camino », ouvert en 2009. À l'écart du Camino. Toute l'année. 34 places. Cuisine. Tél. : 653 75 15 82.

À VOIR ET À SAVOIR

PUENTE FITERO
• **Ermita San Nicolás** (du XIIe siècle) : chapelle admirablement restaurée et aménagée en refuge par des Italiens.
• **El Puente Fitero :** pont roman à onze arches (du XIIe siècle) traversant le río Pisuerga.

ITERO DE LA VEGA
• **Ermita de la Piedad** (du XIIIe siècle).
• **Iglesia San Pedro** (des XIIIe et XVIe siècles).

BOADILLA DEL CAMINO
• **Iglesia Nuestra Señora de la Asunción** (du XIVe au XVIe siècle), renfermant de remarquables fonts baptismaux romans.
• **Pilori de la Justice** (du XVe siècle).

CANAL DE CASTILLE
• Œuvre colossale et performance technique réalisée du XIIIe au XIXe siècle.

FRÓMISTA
• **Iglesia San Martín de Frómista** (du XIe siècle, restaurée en 1904) : cette église, vestige du monastère bénédictin de Saint-Martin, est l'un des édifices romans les plus admirables au monde.
• **Iglesia San Pedro** (du XVe siècle), ornée de très belles peintures.
• **Iglesia Santa María del Castillo :** Renaissance, retable peint de style hispano-flamand.

PERSONNAGES DU CAMINO

• Les hospitaleros de San Nicolás (de Puente Fitero)
Si vous avez la chance de trouver ouverte la fabuleuse chapelle-refuge de San Nicolás, vous pourrez certainement vous rendre compte du soin que prend la très italienne Confraternita San Jacopo à choisir des hospitaleros de grande qualité.

Boadilla del Camino

HORAIRES DES MESSES

Villes, villages, sites	Semaine	Samedi	Dimanches et fêtes
Itero del Castillo			12h00
Itero de la Vega	Mardi à 17h00 (hiver) 18h00 (été)	idem	12h00
Boadilla del Camino	Mercredi 17h00		11h00
Frómista	20h00	20h00	9h00, 13h00

ÉTAPE 16 **18,9 km**

DE **Frómista**
À **Carrión de los Condes**

Villalcázar de Sirga

La Junta de Castilla y León s'est appliquée à agencer, sur certains tronçons, une senda de peregrinos (sentier aménagé pour les pèlerins). Celle-ci vous permettra, sans danger, de marcher sur le bord de la grand-route. Cependant, il existe une petite variante (à peine plus longue et bien plus agréable) qui vous fera longer les rives d'un adorable río bordé d'arbres.

Chemin

Sortez de Frómista par la P.980. Longez-la par un sentier borné le long de la route, qui vous mène quelques kilomètres plus loin, près de la **Ermita San Miguel** (à gauche); puis, cinq cents mètres encore après, à **Población de Campos**.

À la sortie de Población, deux possibilités s'offrent à vous:

A · Continuez le long de la C.980 par le sentier aménagé, en passant par **Revenga de Campos, Villarmentero de Campos et Villalcázar de Sirga** (avec son imposante église-forteresse templière que vous avez pu apercevoir au loin).

B · Par un chemin plus tranquille, bien qu'un peu moins direct, prenez (à la sortie de Población) une piste sur la droite et, juste après, encore une autre sur la gauche. À partir de là, le chemin est quasi rectiligne sur plus de quatre kilomètres (à travers champs), jusqu'à **Villovieco.** Là, empruntez le petit pont qui franchis le río Ucieza et prenez un chemin sur la droite (face à la *parada de peregrinos*). Suivez le sentier qui longe le río. Continuez sur cette rive durant près de cinq kilomètres, jusqu'à rencontrer une route, un petit pont et la **ermita de Nuestra Señora del Río**. De là, prenez cette petite route (sur votre gauche) qui vous mène à **Villalcázar de Sirga**.

À la sortie de Villalcázar de Sirga (ou Villasirga), reprenez à nouveau la *senda* pour, quelques kilomètres plus loin, arriver à **Car-** **rión de los Condes**. Vous entrez dans la ville par une rue sur votre gauche. Passez ensuite devant le couvent des Clarisses.

Villes, villages et sites traversés entre FRÓMISTA et CARRIÓN DE LOS CONDES

INFORMATIONS PRATIQUES

Distances	Villes, villages, sites	Alt.	FON	REF	BAR	ALI	CAS	RES	HOT	DAB	PH	BIV
- 429,9 km	Frómista	780	☼	☼	☼	☼	☼	☼	☼	☼	☼	☼
à 3,7 km	Población de Campos	770	☼	☼	☼	☼	☼	☼				☼
à 3,3 km	Revenga de Campos	765	☼		☼	☼	☼					
à 2 km	Villarmentero de Campos	770	☼	☼	☼							
à 4,2 km	Villalcázar de Sirga	785	☼	☼	☼		☼	☼	☼			☼
à 5,7 km	Carrión de los Condes	830	☼	☼	☼	☼	☼	☼	☼	☼		

Alternative B, de Población à Villalcázar, par Villovieco

Distances	Villes, villages, sites	Alt.	FON	REF	BAR	ALI	CAS	RES	HOT	DAB	PH	BIV
–	Población de Campos	760	☼	☼	☼	☼	☼					☼
à 4,1 km	Villovieco	790	☼		☼		☼					
à 5,0 km	Ermita del Río	805										☼
à 1,6 km	Villalcázar de Sirga	785	☼	☼	☼		☼	☼	☼			

REFUGES

POBLACIÓN DE CAMPOS
• Agréable refuge aménagé dans d'anciennes écoles. Réhabilité en 2003. Cuisine. 22 places. Tél.: 979 81 02 71.

VILLARMENTERO DE CAMPOS
• Refuge « Amanecer » ouvert en 2006, derrière la buvette de Jesús, à l'entrée du village. 18 places et bungalows. Tél.: 629 17 85 43.

VILLALCÁZAR DE SIRGA
• Petit refuge paroissial et municipal au 1er étage d'un édifice. Cuisine. 12 places. Tél.: 979 88 80 76.

CARRIÓN DE LOS CONDES
• Grand refuge paroissial « La Virgen del Camino », non loin de l'église Santa María. 52 places. Tél.: 979 88 07 68.
• À l'entrée du bourg, dans l'enceinte du couvent Santa Clara. Refuge privé chez les sœurs clarisses. Santa Clara, 1. 31 places. 7 €. Tél.: 979 88 01 34.
• Nouveau refuge chez les sœurs de Espíritu Santo, 4, place San Juan. 72 places. Tél.: 979 88 00 52. 6 €.

À VOIR ET À SAVOIR

POBLACIÓN DE CAMPOS
• **Ermita San Miguel** (du xiiie siècle): se situe peu avant d'entrer dans Población, sur la gauche.
• **Iglesia Santa Magdalena** (baroque du xviie siècle).

• **Petite chapelle** très ancienne à demi-enterrée.

VILLARMENTERO
• **Iglesia San Martín de Tours** (entourée de tombes très anciennes). Comme son nom l'indique, elle fut érigée à la gloire du saint dont le tombeau, à Tours, constitue un point de convergence important du Chemin de Saint-Jacques (Via Turonensis).

VILLALCÁZAR DE SIRGA
• **Iglesia-fortaleza Santa María la Blanca :** très imposant monument templier (romane de transition et gothique des XIIe et XIIIe siècles) ; lequel renferme (entre autres) la très vénérée statue de sainte Marie la Blanche, un beau retable peint (du XIIIe siècle) ainsi que le remarquable sarcophage en albâtre dans lequel gît Don Felipe (Infant d'Espagne).

CARRIÓN DE LOS CONDES
• **Convento Santa Clara** (des XIIIe et XVIIe siècles) : très bel édifice toujours tenu par les sœurs clarisses.
• **Iglesia Santa María del Camino** (ou de la Victoria) : romane du XIIe siècle.

• **Iglesia Santiago** (du XIIe siècle) : fut détruite par les soldats français en 1809. Elle conserve un très beau porche roman représentant le Christ en Majesté.
• **Monasterio San Zoilo** (voir étape suivante).

Carrión « San Zoilo »

HORAIRES DES MESSES

Villes, villages, sites	Semaine	Samedi	Dimanches et fêtes
Población de Campos	Vendredi 17h30		13h00
Revenga de Campos	18h00	18h00	12h00
Villovieco	20h00		12h00
Villarmentero			10h15
Villalcázar de Sirga			12h30
Carrión de Los Condes	8h30, 20h00	8h30, 20h00	9h00, 19h00

DE **Carrión de los Condes**
À **Calzadilla de la Cueza**

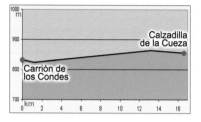

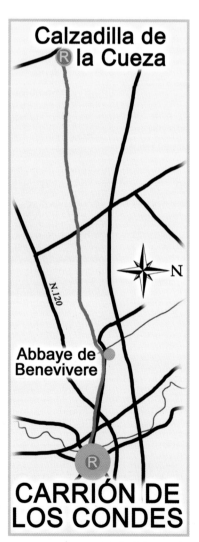

Cette courte étape peut vite devenir très éprouvante en cas de grosse chaleur. En effet, sur ce tronçon du Camino quasi rectiligne au cœur de la Meseta, vous ne serez assombris que faiblement par les encore trop rares arbres qui le bordent.

Attention ! À Carrión, n'oubliez pas de vous munir d'eau, car vous en trouverez peu sur cette étape.

🐚 Chemin

Sortez de la ville en passant près de la remarquable **iglesia Santiago**, redescendez jusqu'à traverser le pont sur le río Carrión. Peu après être passé devant le **monastère de San Zoilo**, vous arrivez aux abords d'un grand carrefour. Traversez-le et passez près d'un centre de la Croix-Rouge, puis, par une route, devant une station-service. Traversez la N. 120 et prenez, en face, la petite route de Villotilla qui, au bout de quelques kilomètres, vous mène devant **l'abbaye Santa María de Benevivere**. Passez un río et, 700 mètres plus loin, traversez une petite route. Continuez en face par une piste (ancienne voie romaine ralliant Bordeaux à Astorga). 2,5 km plus loin se présente un arbre (à droite), non loin duquel se trouve une fontaine d'eau d'infiltration douteuse. Chemin faisant, vous traversez quelques petits lits de rivières asséchées, passez devant la buvette de Rafa, installée depuis 2007. 270 mètres avant la route de Bustillo et des bâtiments agricoles, vous passez à droite d'un chêne solitaire. Toujours en cheminant sur cette interminable voie romaine vous découvrirez le clocher puis le village de **Calzadilla de la Cueza**.

🐚 Villes, villages et sites traversés entre CARRION DE LOS CONDES et CALZADILLA DE LA CUEZA

INFORMATIONS PRATIQUES

Distances	Villes, villages, sites	Alt.	FON	REF	BAR	ALI	CAS	RES	HOT	DAB	PH	BIV
– 411 km	Carrión de Los Condes	830	✪	✪	✪	✪	✪	✪	✪	✪	✪	✪
à 0,9 km	Monastère San Zoilo	820						✪	✪			
à 4,1 km	Abbaye de Benevivere	835										
à 5,2 km	Route de Bustillo	850			?		?					
à 7,1 km	Calzadilla de la Cueza	860	✪	✪	✪	✪	✪	✪	✪			

REFUGES

CALZADILLA DE LA CUEZA
• À l'entrée du village. Refuge privé bâti en 1999. Piscine. 86 places. Tél. : 979 88 31 87/616 98 35 17.

À VOIR ET À SAVOIR

MONASTÈRE ROMAN DE SAN ZOILO
(À la sortie de Carrión de los Condes) : il abrite un cloître renaissance du xvie siècle qui est une véritable merveille. Son portail est de style classique.

CALZADILLA DE LA CUEZA
• Iglesia San Martín du xvie siècle, ornée d'un magnifique retable de la même époque.

PERSONNAGES DU CAMINO

• Cesar (de Calzadilla de la Cueza) Pèlerin multirécidiviste, Cesar gère un petit bar-hôtel-restaurant dans lequel il vous réservera le meilleur accueil (dans le village, à gauche ; suivez les indications au sol).

OÙ MANGER CONVENABLEMENT ?

CALZADILLA DE LA CUEZA
• Le restaurant *Camino Real*.

Calzadilla de la Cueza

HORAIRES DES MESSES

Villes, villages, sites	Semaine	Samedi	Dimanches et fêtes
Carrión de Los Condes	8 h 30, 20 h 00	8 h 30, 20 h 00	9 h 00, 19 h 00
Calzadilla de la Cueza	Jeudi 17 h 30		10 h 30

DE Calzadilla de la Cueza
À Sahagún de Campos

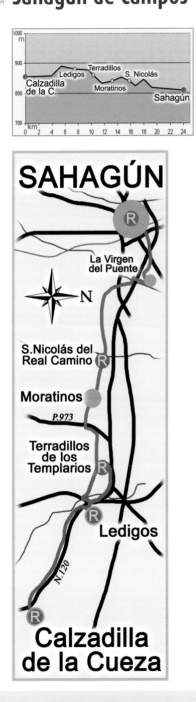

Étape peu accidentée.
De longs tronçons (notamment entre Calzadilla et Terradillos de los Templarios) seront à parcourir sur une senda, au bord de la N.120. Cette piste, ponctuée par de jeunes arbres, préfigure les longues sendas rectilignes sur lesquelles vous marcherez notamment entre Sahagún et Mansilla de las Mulas.

🐚 Chemin

Traversez le village de Calzadilla de la Cueza pour prendre une piste parallèle à la N.120. Suivez-la et, peu de temps après, vous apercevez (sur votre gauche) une étonnante croix monumentale (érigée avec des barils de carburant). Continuez la N.120 durant quelques kilomètres, sur la *senda* en montant sur une aire de repos et descendant sur **Ledigos**. En sortant du village, vous pouvez continuer sur la *senda* parallèle à la route, ou sinon, prendre l'ancien chemin à travers champs, plus court et plus calme. Pour ce,

suivez la route menant à Población de Arroyo (P. 970) sur 300 mètres et prenez un chemin à droite juste avant un pigeonnier. Prenez à gauche après une ferme et enfin à droite à une autre ferme jusqu'à **Terradillos de los Templarios**. Le chemin continue à travers champs et, peu après, vous arrivez sur la petite route P.905/973. Suivez-la vers la gauche, sur environ quatre cents mètres. 10 m avant le km 1, prenez un chemin (sur votre droite) qui vous mène, quelques kilomètres plus loin, au village de **Moratinos**. Traversez-le, puis attrapez ensuite un chemin qui part en montant et bientôt redescend sur **San Nicolás del Real Camino**. Traversez le village et récupérez le Chemin à sa sortie.

Traversez le río de Valderaduey et tournez immédiatement après vers votre droite, sur un petit chemin menant à la **chapelle de la Virgen del Puente**. De là, par une piste, passez sous la grand-route, et entrez dans **Sahagún**. Pénétrez dans la ville, traversez la voie ferrée et dirigez-vous vers le centre.

Villes, villages et sites traversés entre CALZADILLA DE LA CUEZA et SAHAGÚN

INFORMATIONS PRATIQUES

Distances	Villes, villages, sites	Alt.	FON	REF	BAR	ALI	CAS	RES	HOT	DAB	PH	BIV
- 393,7 km	Calzadilla de la Cueza	855	✪	✪	✪		✪	✪	✪	✪		
à 6,2 km	Ledigos	880	✪	✪	✪	✪	✪	?				✪
à 2,9 km	Terradillos de los Templarios	860	✪	✪	✪	✪	✪	✪	C			
à 3,5 km	Moratinos	840	✪									✪
à 2,6 km	San Nicolás del Real Camino	840	✪	✪	✪		✪	✪				✪
à 4,5 km	Ermita Virgen del Puente	815										
à 3 km	Sahagún de Campos	810	✪	✪	✪	✪	✪	✪	✪	✪	✪	

REFUGES

LEDIGOS
• Gîte privé « El Palomar ». Beau jardin, cuisine avec four à pain. 50 places. Tél. : 979 88 36 05/14. 5 €.

TERRADILLOS DE LOS TEMPLARIOS
• Gîte privé « Jacques de Molay » ; très agréable dans une maison ornée d'une grande croix tem-plière, ancrée, rouge. 49 places. Tél. : 979 88 36 79/657 16 50 11. 7 €.
• Gîte privé « Los Templarios ». Ouvert en 2007 le long de la N. 120 (au km 226) peu avant Terra-dillos. 52 places. Piscine. 7 €/12 €. Tél. : 667 25 22 79. Ouvert de la Semaine Sainte à la Toussaint.

SAN NICOLÁS DEL REAL CAMINO
• Ouvert en octobre 2003, refuge privé « Laganares » de 20 places, à côté de l'église (calle La Nueva, 1). Tél. : 629 18 15 36/979 18 81 42. 7 €.

SAHAGÚN DE CAMPOS
• La très haute église de la Tri-nidad a été réhabilitée en Palais des congrès et Office du tourisme en bas et en grand refuge de pèlerins en haut. Calle El Arco, 87. 64 places. cuisine 4 €. Tél. : 987 78 10 15.
• Gîte privé « Viatoris » à 380 m à l'écart du Chemin, à l'entrée de Sahagún. 70 places. Cuisine. Tra-versia del Arco. Tél. : 987 78 09 75.
• Les mères bénédictines offrent l'accueil aux pèlerins de la Semaine Sainte à octobre, au Monasterio Santa Cruz. Avenida Drs Bermejo y Calderón, 8. 14 places. Tél. : 987 78 00 78. ✝

À VOIR ET À SAVOIR

SANTA MARÍA DE LAS TIENDAS
• Ancien monastère qui fut (du XIIe siècle au XIXe siècle) un impor-tant hôpital tenu par les cheva-liers de Saint-Jacques. Les vestiges furent définitivement rasés en 2006-2007.

LEDIGOS
• **Iglesia Santiago** du XVIe siècle.

TERRADILLOS DE LOS TEMPLARIOS
(petite terrasse des templiers)
• Comme son nom l'indique, ce village, comme celui de Ledigos, appartenait autrefois aux chevaliers de l'ordre du Temple.

MORATINOS
• Ancienne appartenance templière également.

ERMITA DE LA VIRGEN DEL PUENTE
• Chapelle du XIIe siècle.

SAHAGÚN DE CAMPOS
• **Iglesia San Tirso** (du XIIe siècle).
• **Iglesia San Lorenzo** (du XIIIe siècle).

• **Arco de San Benito** (du XVIIe siècle) et les restes de l'Abbaye Santo Facundo Santo Primitivo.
• **Musée des sœurs bénédictines**, renferme entre autres la fameuse Vierge Pèlerine de Sahagún, ainsi que diverses merveilles d'art sacré dont une Pieta (Vierge gothique et Christ roman). Afin de ne point trop déranger la clôture monastique, une visite en groupe est recommandée.
• **Monasterio San Pedro de las Dueñas**.

La Virgen del Puente

HORAIRES DES MESSES

Villes, villages, sites	Semaine	Samedi	Dimanches et fêtes
Ledigos	jeudi 17h00 (?)		13h00
Terradillos			12h00
Moratinos			12h00
San Nicolás			11h00
Sahagún de campos	Nombreux offices	Nombreux offices	Nombreux offices

DE Sahagún de Campos
À Mansilla de las Mulas

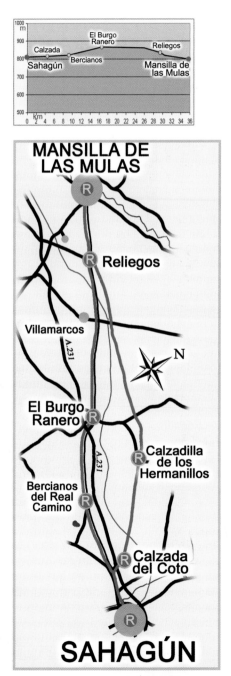

Étape durant laquelle vous parcourrez très longuement une senda de peregrinos, ponctuée de platanes (tous les 9 ou 10 mètres), et bordée d'une piste, goudronnée en 2003. Cet interminable chemin quasi rectiligne peut paraître monotone, voire décourageant. Là aussi il s'agit d'une épreuve de votre pèlerinage, où les perspectives du Chemin se mêlent à vos souffrances et à votre solitude. La senda de peregrinos se poursuit encore jusqu'aux abords de Mansilla de las Mulas. Désormais, vous passez sous le tuyau chromé, surprenante œuvre du sculpteur leónnais Carlos Álvarez Cuenllas. Tout en marchant, vous pourrez peut-être mettre en route la «machine à marcher automatique» et entrer mentalement dans une autre dimension méditative. Ces longs passages vous incitent à allonger vos pas et, par conséquent, à augmenter votre allure.

De Calzada del Coto, vous avez aussi la possibilité de passer par Calzadilla de los Hermanillos. À partir de là, vous pouvez donc suivre une ancienne voie romaine, perdue dans la Meseta. Vous pourrez rejoindre le Camino Real au Burgo Ranero, à Reliegos ou suivre la piste jusqu'à Mansilla de las Mulas.

🐚 Chemin

Sortez de Sahagún par la Plaza de Santiago puis descendez, passez près de l'Arco San Benito et traversez le río Cea (par le Puente del Canto). Longez la route nationale. Quelques kilomètres plus loin, vous pouvez apercevoir, de l'autre coté de l'autoroute, **Calzada del Coto** village qui se trouve à 500 m de la «Senda». Continuez cependant sur la «rive gauche» de l'autoroute pour y prendre une senda qui longe une piste goudronnée. De jeunes platanes ainsi que des bancs blancs, ponctuent régulièrement ce sentier. Ensuite, vous passez devant la **chapelle de Nuestra Señora de los Perales**, devant laquelle a été aménagée une parada de *pere-*

grinos avec tables et bancs. Peu après, traversez un rio et passez devant une croix (à la mémoire d'un pèlerin allemand, tombé ici en 1998). Continuant un peu, vous arrivez bientôt à **Bercianos del Real Camino**. À la sortie de ce village, reprenez la senda et passez devant une autre *parada de peregrinos* (au bord du petit ruisseau de l'Olmo). Passez bientôt devant un étang en face duquel est posée une plaque commémorative en souvenir de l'éminent professeur Millán Bravo Lozano, grand historien du Camino. Quelques kilomètres plus loin, traversez l'autoroute et entrez dans **El Burgo Ranero**. Traversez le village pour retrouver (à sa sortie) toujours le même sentier aménagé (avec ses platanes). Peu après, vous passez devant une parada de *peregrinos* au bord de l'Arroyo del Valle de Valdegorrón. Le chemin continue et, quelques kilomètres après, une autre parada s'ouvre sur votre gauche, derrière laquelle se trouve une fontaine (eau d'infiltration douteuse). Bientôt, vous pouvez apercevoir (à l'écart, sur votre gauche) le village de Villamarcos et son petit aérodrome. Plus loin, passez encore devant une autre parada sur l'Arroyo del Valle Naval. Traversez une voie de chemin de fer ainsi que, peu de temps après, l'Arroyo del Valle de Santa María. Vous arrivez bientôt à **Reliegos**. Traversez le village par la *calle Mayor* et retrouvez la senda à sa sortie. Le sentier passe devant le fronton et se poursuit sur quelques kilomètres, toujours aussi rectiligne. Ce n'est que peu après être passé à droite d'un cimetière, qu'il s'interrompt. Traversez une route de grande circulation, et pénétrez dans **Mansilla de las Mulas**. Rendez-vous à la Plaza del Pozo puis continuez tout droit pour trouver le refuge de pèlerins.

❀ Villes, villages et sites traversés entre SAHAGÚN et MANSILLA DE LAS MULAS

INFORMATIONS PRATIQUES

Distances	Villes, villages, sites	Alt.	FON	REF	BAR	ALI	CAS	RES	HOT	DAB	PH	BIV
- 371 km	Sahagún	810	✪	✪	✪	✪	✪	✪	✪	✪	✪	
à 4 km	Calzada del Coto (à l'écart)	820	✪	✪	✪	✪	✪					✪
à 4,1 km	Ermita Ntra. Sra. de Perales	845										
à 1,5 km	Bercianos del Real Camino	860	✪	✪	✪	✪	✪	✪	✪			
à 2,3 km	Area de descanso	860										
A 3,8 km	Passage sous l'autoroute	880										
à 1,6 km	El Burgo Ranero	880	✪	✪	✪	✪	✪	✪	✪			
à 10,1 km	Voie ferrée	860										
à 2,6 km	Reliegos de las Matas	835	✪	✪	✪	✪	✪					
à 6,3 km	Mansilla de las Mulas	800	✪	✪	✪	✪	✪	✪	✪	✪	✪	

Alternative entre Calzada et Mansilla, par Calzadilla de Los Hermanillos

Distances	Villes, villages, sites	Alt.	FON	REF	BAR	ALI	CAS	RES	HOT	DAB	PH	BIV
—	Calzada del Coto	820	✪	✪	✪	✪						✪
A 6,5 km	Fuente del Peregrino	860	✪									✪
à 2,2 km	Calzadilla de los Hermanillos	895	✪	✪	✪	✪	✪	✪	C			
à 17 km	Reliegos de las Matas (à l'écart)	830	✪	✪	✪	✪	✪					
à 7,1 km	Mansilla de las Mulas	800	✪	✪	✪	✪	✪	✪	✪	✪	✪	

REFUGES

CALZADA DEL COTO
• Dans la maison (blanche) « San Roque », à l'entrée du village et face au bar fantôme « Xanadú ». Simple refuge municipal de 26 places. Tél. : 987 78 12 33 (mairie).
• Projet d'un nouveau gîte.

BERCIANOS DEL REAL CAMINO
• Refuge paroissial réhabilité. Accueil chaleureux et chrétien. Ambiance tout à fait exceptionnelle. Cuisine. 40 places. Tél. : 669 82 26 51. ✝

EL BURGO RANERO
• Aménagé dans une maison en adobe, sur une place presque en face de l'hôtel. Cuisine. 28 places. Calle Fray Pedro, 31. Tél. : 987 33 00 47. ✝
• Refuge privé « El Nogal », ouvert en 2002. Calle Fray Pedro, 44. 30 places. Tél. : 667 20 74 54 et 627 22 93 31. 7 €/10 €.
• Auberge privée, « La Laguna », à la fin du village. Beau jardin avec piscine en projet pour 2010. 16 places. Cuisine. Ouvert de janvier à novembre. Tél. : 607 16 39 82/ 987 33 00 94.

RELIEGOS DE LAS MATAS
• Refuge municipal, à droite du Camino. Vaste salle en bas. Cuisine. 44 places (+ 30 matelas). Tél. : 987 31 78 01.

CALZADILLA DE LOS HERMANILLOS (par la voie romaine)
• Agréable refuge municipal sur une placette où fut érigée, en 2004, une croix de granit. Accueil chaleureux. Cuisine. 22 places. Tél. : 987 33 75 25.

MANSILLA DE LAS MULAS
• Refuge bien conçu dans une grande maison amusante et biscornue avec un agréable patio fleuri. Cuisine. Agrandi à 80 places en 2006. Calle Puente, 15. Tél. : 987 31 07 91 et 686 03 26 13.
• Refuge privé « El jardín del Camino ». Ouvert en 2010. 32 places. Tél. : 987 31 02 32. 8/10 €.

À VOIR ET À SAVOIR

ERMITA DE NUESTRA SEÑORA DE PERALES
• Chapelle du xviie siècle.

BERCIANOS DEL CAMINO
• **Iglesia del San Salvador** (du xiie siècle).

EL BURGO RANERO
• **Iglesia San Pedro.**

Mansilla de las Mulas

PERSONNAGES DU CHEMIN

• **Don Jesús** (del Burgo Ranero)
Le curé du Burgo Ranero est un homme très priant qui s'efforce d'apporter un soutien spirituel aux pèlerins.
Jouant d'un humour assez particulier, il se plait souvent, quand il ôte ses habits sacerdotaux, à arborer la chemise bleue de la Phalange espagnole.

• **Laura** (de Mansilla de las Mulas)
Sympathique jeune fille, Laurita s'occupe depuis quelques années du grand refuge de Mansilla. Aussi, par son charme et sa gentillesse, elle sait parfaitement insuffler une bonne ambiance de convivialité.

• **Wolf "El Lobo"**
(de Mansilla de las Mulas)
Pèlerin allemand multirécidiviste et spécialiste de la Ruta de la Plata (Séville-Santiago). Depuis quelques années, il vient plusieurs mois par an, donner un coup de main à Laura pour accueillir et soigner les pèlerins au refuge.

CALZADILLA DE LOS HERMANILLOS
(par la voie romaine)
• **Ermita Nuestra Señora de las Dolores** (du xvie siècle).
• **Iglesia San Bartolome** (du xvie siècle).

MANSILLA DE LAS MULAS
• **Puerta Santiago.**
• **Murailles de fortification** (du xiiie siècle).
• **Iglesia Santa María** (du xviie siècle).

OÙ MANGER CONVENABLEMENT ?

MANSILLA DE LAS MULAS
• *El Horreo* (Avenida de Valladolid).

HORAIRES DES MESSES

Villes, villages, sites	Semaine	Samedi	Dimanches et fêtes
Calzada del Coto			11 h 00 ou 13 h 00
Bercianos del Real Camino			13 h 00
El Burgo Ranero	11 h 00	11 h 00 + 19 h 30 (été)	11 h 30
Reliegos			13 h 00
Mansilla de las Mulas	9 h 30, 20 h 30	9 h 30, 20 h 30	9 h 30, 12 h 00, 13 h 00
Calzadilla			10 h 45

DE **Mansilla de las Mulas**
À **León**

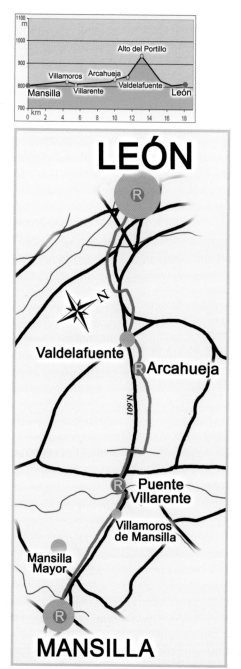

Comme toutes les grandes villes à traverser, l'entrée dans León se fait par la zone industrielle. Cependant, celle-ci s'avère nettement moins désagréable que celle de Burgos.
Soyez très prudent, avec les véhicules, notamment en traversant le pont Villarente et la N. 601 à l'Alto del Portillo.

Prenez garde de ne pas trop vous fier aux panneaux indicateurs du Camino de Santiago. Ceux-ci sont obsolètes et incomplets.
Ils s'adressent aux automobilistes.

La ville de León est une merveille ! Sachez découvrir ses ambiances et ses magnifiques monuments.

Chemin

Continuez la *calle del Puente*, sortez des murailles de Mansilla de las Mulas et prenez la N.601 en direction de León. Après avoir traversé le río Esla, suivez (sur votre gauche) une piste parallèle à la grand-route, sur quelques kilomètres, jusqu'à **Villamoros de Mansilla**.

Traversez le village et reprenez la piste parallèle à la route ; toujours sur la gauche. Quittez-la après le bar routier, pour bientôt franchir, très prudemment, le río Porma par le vieux pont Villarente. Sur l'autre rive, vous entrez dans **Puente Villarente**. À sa sortie, suivez à nouveau la grand-route sur quelques centaines de mètres. Prenez alors une piste, sur votre droite à hauteur du canal del Porma. Immédiatement après, la piste suit parallèlement la route à distance. Ensuite, vous croisez une petite route et entrez dans **Arcahueja** (en passant devant sa fontaine réhabilitée en 2005). Continuant par le même chemin, vous arrivez à **Valdelafuente**. Ensuite, le chemin monte en s'éloignant et revenant vers la N.601, à droite. Traversez-la par une passerelle à **l'Alto del Portillo**.

La ville de León vous apparaît alors. Descendez vers elle en longeant l'effrayante route nationale. Prenez bientôt une autre passerelle qui enjambe une rocade. Pénétrez alors dans les faubourgs et franchissez le río Torio à **Puente Castro**. Vous entrez ensuite dans la grande ville de **León**.

Le refuge municipal C.H.F [tchef] se trouve près de l'entrée de la ville, sur la gauche, non loin de la plaza de Toros et de la Guardia Civil. En revanche, celui des sœurs bénédictines se trouve plaza del Grano, près de l'église Santa María del Mercado, dans le Barrio Humedo du vieux León.

Villes, villages et sites traversés entre MANSILLA DE LAS MULAS et LEÓN

INFORMATIONS PRATIQUES

Distances	Villes, villages, sites	Alt.	FON	REF	BAR	ALI	CAS	RES	HOT	DAB	PH	BIV
– 334,7 km	Mansilla de las Mulas	800	✿	✿	✿	✿	✿	✿	✿	✿		
à 4,7 km	Villamoros de Mansilla	820	✿									✿
à 1,7 km	Puente Villarente	805	✿	✿	✿	✿	✿	✿	✿	✿		
à 2,8 km	Villatoldanos/ Sanfelismo	830										
à 1,4 km	Arcahueja	850	✿	✿		✿		✿				✿
à 1,5 km	Valdelafuente	840	✿							✿	✿	
à 1,7 km	Alto del Portillo	935										
à 2,1 km	Puente Castro	830	✿		✿	✿	✿	✿	✿			
à 3,4 km	León	840	✿	✿	✿	✿	✿	✿	✿	✿		

REFUGES

PUENTE VILLARENTE

• Refuge privé du bar «El delfin Verde» (juste après le pont à droite). Cuisine, ouvert en été 2007. 24 places. Tel.: 987 312 065/137. 6 €.
• Albergue «San Pelayo», refuge privé, ouvert en 2007. 64 places. 7 €. Tel.: 650 91 82 81.

ARCAHUEJA

• Refuge «La Torre», au-dessus du bar du village. 20 places. Cuisine. Tél.: 987 20 58 96.

LEÓN

• À l'entrée de la ville, près de la plaza de Toros et de la caserne de la Guardia Civil. Grand refuge municipal C.H.F. [tchef]. Presque un hôtel! 100 places. tél.: 987 08 18 32/33.
• Au centre-ville, plaza del Grano, près de l'église Santa María del Mercado/Camino, les sœurs bénédictines de las Carbajalas accueillent chaleureusement les pèlerins. Vous pouvez aussi suivre avec elles les offices religieux. 152 places. Elles viennent également d'ouvrir une somptueuse hôtellerie de grand confort. Tél.: 680 64 92 89 et 987 25 28 66. ✝

À VOIR ET À SAVOIR

PUENTE VILLARENTE

• **Pont médiéval** à vingt arches du xııe siècle; très remanié.
• **Ancien hôpital de peregrinos** (du xvıe siècle).

LEÓN

Cette ville, créée au ıer siècle de notre ère, tire son nom et ses origines de la légion romaine Legio VII Gemina qui s'y établit. Ordoño

Il fonda le Royaume de León au xe siècle qui fut rattaché au Royaume de Castille dès le xe siècle.

• **Iglesia Santa Ana :** jadis tenue par les chevaliers du Saint-Sépulcre puis par ceux de Saint-Jean (Malte).

• **Murailles romaines.**

• **Iglesia Santa María del Mercado/Camino :** du xiie siècle, avec des influences mozarabes.

• **El Bario Humedo (le quartier humide) :** au centre-ville, ce petit quartier est truffé de petites ruelles et de vieilles places ponctuées de dizaines de petits bars dans lesquels on peut savourer de délicieuses tapas. Chaque bar a sa spécialité. Cela dépend des heures…

• **Catedral Santa María de la Regla :** style « gothique à la française » de toute beauté (du xiiie au xive siècle). Remarquable statuaire des portails, chœur plateresque et stalles du xve. Le cloître gothique est du xive et l'escalier plateresque. Ses magnifiques vitraux ne laissent personne insensible. Son musée est à visiter.

• **Real Basilica de San Isidoro :** merveille romane du xie siècle (façade remaniée au xvie). Le cloître roman fut remanié au xviiie siècle On peut y visiter son Panthéon royal orné de magnifiques peintures romanes du xiie siècle et son fabuleux trésor.

• **Hostal de San Marcos :** ancien hôpital de pèlerins et siège des chevaliers de Saint-Jacques (au xiie siècle). Le roi Ferdinand d'Aragon le fit reconstruire, style plateresque, au xvie siècle. Fut transformé en grand hôtel de luxe.

PERSONNAGES DU CHEMIN

• Les sœurs bénédictines de las Carbajalas (de León)
C'est au centre-ville que les sœurs bénédictines accueillent chaleureusement les pèlerins dans un refuge simple et propre, en plein accord avec la Règle de saint Benoît. On peut assister, avec elles, à de beaux offices chantés et recevoir leur bénédiction réconfortante.

OÙ MANGER CONVENABLEMENT ?

LEÓN
• Tournez dans les bars à tapas du *Barrio Humedo*. Typique !

San Isidoro de León

HORAIRES DES MESSES

Villes, villages, sites	Semaine	Samedi	Dimanches et fêtes
Puente Villarente			12 h 00
Arcahueja	Jeudi 19 h 30		13 h 00
Valdelafuente			11 h 00
León	Nombreux offices	Nombreux offices	Nombreux offices

DE **León**
À **Hospital de Órbigo**

Puente Órbigo

Longue étape dans les plaines du Páramo. Elle peut s'avérer difficile en cas de canicule. Sur une longue étape comme celle-ci, la fatigue pourrait favoriser une insolation.

À la sortie de La Virgen del Camino, vous avez la possibilité de choisir l'alternative A : en continuant par la très fréquentée N. 120, durant plus de vingt kilomètres, jusqu'à Puente de Órbigo (là où les deux chemins se rejoignent). La variante B, par Villar de Mazarife, procure plus de tranquillité, de confort de marche, de sécurité et serait le plus ancien passage des pèlerins de Saint-Jacques (?). Cette alternative vous fera passer par de charmants villages de campagne. Ceux-ci sont un petit peu moins touchés par le nouvel essor que connaît le pèlerinage et leurs habitants, moins blasés.

Chemin

À partir de la cathédrale de León, rendez-vous à la basilique royale San Isidoro. Par la *avenida Suero de Quiñones*, passez devant le remarquable hôtel de **San Marcos**. Traversez ensuite le río Bernesga par le pont San Marcos. Continuez tout droit plus ou moins par la route. Par une passerelle, franchissez les voies de chemin de fer puis entrez dans **Trobajo del Camino**. Traversez Trobajo en montant et prenez ensuite un chemin qui monte à droite, bordé de *bodegas*. Cette piste, après avoir longé la zone industrielle, vous mène à **La Virgen del Camino**.

Passé le Sanctuaire (remanié moderne, avec sa flèche de béton), suivez à nouveau la N.120 sur quelques mètres.

Bientôt, deux possibilités s'offrent à vous :

A · Itinéraire historique, très éprouvant compte tenu des nuisances dues à l'important trafic de la N.120. Suivez celle-ci, par une *senda* parallèle, sur plus de vingt kilomètres, en passant par **Valverde de la Virgen, San Miguel del Camino, Villadangos del Páramo, San Martín del Camino** et enfin, **Puente et Hospital de Órbigo**.

B • Prenez une petite route qui descend sur votre gauche. Passez bientôt sur l'autoroute, puis sous une rocade avant de remonter sur **Fresno del Camino**. Poursuivez tout droit sur cette petite route vallonnée puis traversez une voie ferrée et un rio jusqu'à **Oncina de Valdoncina**. De son aire de repos prenez une piste qui monte et suivez la sur quelques kilomètres, passez quelques bodegas avant d'arriver à **Chozas de Abajo**. Traversez le village et continuez tout droit, sur encore quelques kilomètres, jusqu'à **Villar de Mazarife**. Sortez du village par une petite

route rectiligne sur 4 km, passez près d'une ferme (Las Matillas) et, en continuant, vous croisez la petite route qui mène au village de La Milla del Páramo (que vous apercevez sur votre droite). Ignorez-la et prenez bien la piste qui continue en face, tourne à gauche et, après avoir traversé le **Canal del Páramo**, reprend à droite puis la même orientation qu'auparavant. Quelques kilomètres plus loin, vous arrivez dans le village de **Villavante**. À sa sortie, traversez une voie de chemin de fer et suivez-la durant quelques centaines de mètres (par une piste parallèle). Ensuite, cette piste vire à droite pour s'éloigner significativement de la voie ferrée. Quelque temps après, vous traversez une route et, par un chemin en face, vous entrez bientôt dans **Puente de Órbigo**. Traversez ensuite le remarquable pont roman sur le río Órbigo et pénétrez dans **Hospital de Órbigo**.

🐚 Villes, villages et sites traversés entre LEÓN et HOSPITAL DE ÓRBIGO

INFORMATIONS PRATIQUES

Distances	Villes, villages, sites	Alt.	FON	REF	BAR	ALI	CAS	RES	HOT	DAB	PH	BIV
– 315,4 km	León	840	✪	✪	✪	✪	✪	✪	✪	✪	✪	
à 3,7 km	Trobajo del Camino	850	✪		✪	✪	✪	✪	✪	✪	✪	
à 3,8 km	La Virgen del Camino	910	✪	✪	✪	✪	✪	✪	✪	✪	✪	
à 2,1 km	Fresno del Camino	875	✪									
à 1,7 km	Oncina de la Valdoncina	870	✪									
à 5,8 km	Chozas de Abajo	885	✪		✪		✪					
à 4,4 km	Villar de Mazarife	875	✪	✪	✪	✪	✪	✪	C			
à 9,9 km	Villavante	840	✪		✪	✪	✪		C			✪
à 3,9 km	Puente de Órbigo	825	✪		✪	✪	✪					
à 0,5 km	Hospital de Órbigo	820	✪	✪	✪	✪	✪		✪	✪	✪	

Alternative A, entre La Virgen Del Camino et Puente de Órbigo, par Villadangos

Distances	Villes, villages, sites	Alt.	FON	REF	BAR	ALI	CAS	RES	HOT	DAB	PH	BIV
–	La Virgen del Camino	910	⊛	⊛	⊛		⊛	⊛	⊛	⊛	⊛	
à 4,3 km	Valverde de la Virgen	890	⊛	⊛	⊛		⊛	⊛	C			⊛
à 1,5 km	San Miguel del Camino	900			⊛	⊛	⊛	⊛				
à 5,9 km	Centre hôtelier	900			⊛		⊛	⊛	⊛			
à 1,9 km	Villadangos del Páramo	895	⊛	⊛	⊛	⊛	⊛	⊛	⊛	⊛	⊛	⊛
à 4,4 km	San Martín del Camino	870	⊛	⊛	⊛	⊛	⊛	⊛	C			
à 7,0 km	Puente de Órbigo	825	⊛		⊛	⊛	⊛					

REFUGES

LA VIRGEN DEL CAMINO
• La municipalité et les dominicains du sanctuaire ont ouvert en 2007 un refuge moderne et confortable de 40 places. Cuisine. Tél. 615 217 335. 4 €.

VALVERDE DE LA VIRGEN
• Refuge privé fleuri au bord de la N.120 (Km.314). 20 places. Cuisine. Ouvert toute l'année. Tél.: 987 303 414/659 178 087.

VILLADANGOS DEL PÁRAMO
• Le long de la N.120, dans d'anciennes écoles. Refuge municipal. Cuisine. 80 places. Tél.: 987 39 00 03. Toute l'année.

SAN MARTÍN DEL CAMINO
• Un refuge a vu le jour fin 2002 à San Martín. Au bord de la N.120, dans une vaste salle pleine de lits. 62 places. Cuisine. Tél.: 987 37 85 51 et 987 37 86 53.
• À l'entrée du village, à gauche (De la Semaine sainte à Toussaint). Cuisine, piscine gonflable. 50 places. 3/7 €. Tél.: 651 51 73 82/ 987 37 85 65.
• Inratable refuge privé «Santa Ana», ouvert toute l'année. Cuisine. Tél.: 987 37 86 53. 30 places à 4 €, 40 places à 6 €.

VILLAR DE MAZARIFE
• "El refugio de Jesús", aménagé

dans une vieille maison. Décoration pittoresque. Calle Corujo, 11. 45 places. Tél.: 987 39 06 97.
• Refuge privé "San Antonio de Padua", à l'entrée du village à droite. Paëlla et churros. 50 places. Tél.: 987 39 01 92. 6 €.
• Refuge privé "Tío Pepe", au-dessus du bar. El Teso de la Iglesia, 2. 26 places. Tél.: 987 39 05 17. 7 €.

HOSPITAL DE ÓRBIGO
• Juste après le pont, sur la rive, à droite dans un parc. Petit refuge municipal étendu l'été par un campement. Cuisine. 30 places. Tél.: 987 38 82 06/50.
• Sur le Camino, dans la rue principale. Agréable refuge paroissial aménagé dans une vieille maison. Patio. Cuisine. 80 places. Tél.: 987 38 84 44. 5 €.
• Refuge privé "San Miguel", ouvert en 2004. Calle Alvarez Vega, 35. 40 places. Ouvert toute l'année. Tél.: 609 42 09 31/987 388 285. 7 €.

À VOIR ET À SAVOIR

LA VIRGEN DEL CAMINO
• **Sanctuario de la Virgen del Camino :** important édifice bâti en 1961 sur une église primitive. Ce sanctuaire conserve la très vénérée Vierge du Chemin, apparue au début du xvie siècle en ce même lieu. La statue est encadrée d'un magnifique retable baroque du xviie siècle.

PUENTE DE ÓRBIGO
• **Pont médiéval** de plus de deux cents mètres de long, dont les origines remontent au xiie siècle. Au Moyen Âge, le preux chevalier Suero de Quiñones, pour conquérir sa dame, éprouvait sa vaillance en défiant tous les chevaliers qui prétendaient passer le pont. Don Suero de Quiñones y aurait brisé 300 lances.

HOSPITAL DE ÓRBIGO
• **Iglesia San Juan Bautista.**

PERSONNAGES DU CAMINO

• Mon Señor (de Villar de Mazarife) Cet artiste peintre et artisan à la barbe hirsute fait visiter aux pèlerins son atelier d'art néo-roman : le Museo Mon Señor. Tout près du refuge.

HORAIRES DES MESSES

Villes, villages, sites	Semaine	Samedi	Dimanches et fêtes
Trobajo del Camino	8 h 30, 19 h 30		9 h, 11 h, 13 h, 18 h
La Virgen del Camino	Nombreux offices	Nombreux offices	Nombreux offices
Villadangos		18 h 30 hiver-20h00	12 h 30
San Martín	10 h 00	10 h 00	11 h 45
Chozas			12 h 30
Villar de Mazarife	19 h 00	19 h 00	13 h 00
Villavante			13 h 00
Puente de Órbigo	Jeudi 19 h 30		10 h 00
Hospital de Órbigo	20 h 00	20 h 00	12 h 00

Villar de Mazarife. Museo Mon Señor

ÉTAPE 22 **17,4 km**

DE **Hospital de Órbigo**
À **Astorga**

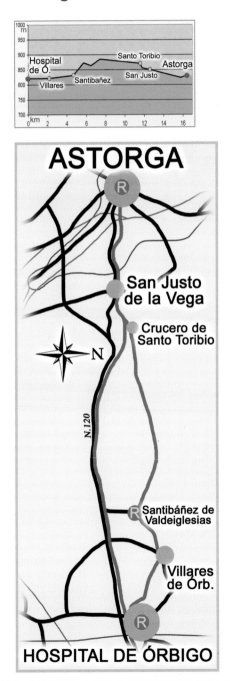

Astorga : palais des Archevêques de Gaudi

Comme cette étape est assez courte, vous pourrez prendre le temps de visiter Astorga et vous y reposer. Si le cœur vous en dit, poussez donc un peu plus loin !

🐚 Chemin

Traversez Hospital de Órbigo par la *calle Mayor* et la *calle del Camino de Santiago*.

À la sortie de cette bourgade, **deux possibilités s'offrent à vous :**

A · Prenez en face une piste sur 2 km puis longez la route N.120, sur de nombreux kilomètres, par une *senda* puis au croisement après le km 340 traversez la N.120 pour la longer par l'ancienne route nationale. Après la côte qui suit la station service, celle-ci s'éloigne alors de la route, par le **Crucero de Santo**

Toribio pour redescendre sur **San Justo de la Vega**.

B · Prenez une piste sur votre droite qui, tout de suite, vire à gauche à travers champs. Continuez tout droit. Après avoir franchi un petit río, traversez **Villares de Órbigo** (avec son canal). Ensuite, le chemin devient un peu plus sinueux et accidenté. Il part en montant sur la gauche puis sur la droite. Là, empruntez une petite route sur quelques centaines de mètres, et descendez sur **Santibáñez de Valdeiglesias**. Dans le village, prenez un chemin qui monte fortement vers la droite et, après avoir viré sur votre gauche, continue encore à monter. Suite au passage d'un petit col, il redescend (évidemment). Ensuite, le Chemin remonte lentement sur quelques kilomètres, pour redescendre sur le lit d'un misérable ruisseau. Il remonte ensuite sur un plateau. Bientôt, vous passez devant une ferme. Continuez tout droit jusqu'àu **Crucero de Santo Toribio** (croix d'où vous pouvez admirer la vue panoramique sur la plaine d'Astorga). Là, le Chemin descend, reprend (sur quelques mètres) la N.120 pour entrer dans

San Justo de la Vega. Sortez du village de San Justo de la Vega par la route. Après avoir franchi le río Tuerto, prenez un chemin parallèle à la N.120 (sur votre droite). Quelques kilomètres plus loin, après avoir traversé un double passage à niveau, vous entrez dans **Astorga**. Montez carrément dans la ville.

Villes, villages et sites traversés entre HOSPITAL DE ÓRBIGO et ASTORGA

INFORMATIONS PRATIQUES

Distances	Villes, villages, sites	Alt.	FON	REF	BAR	ALI	CAS	RES	HOT	DAB	PH	BIV
- 279,6 km	Hospital de Órbigo	820	☺	☺	☺	☺	☺	☺	☺	☺	☺	
à 2,2 km	Villares de Órbigo	830	☺		☺	☺	☺					
à 2,5 km	Santibáñez de Valdeiglesias	830	☺	☺	☺	☺	☺	☺				
à 6,9 km	Crucero de Santo Toribio	920	☺									☺
à 1,5 km	San Justo de la Vega	860			☺		☺	☺	☺			
à 4,3 km	Astorga	870	☺	☺	☺	☺	☺	☺	☺	☺	☺	

Alternative entre Hospital de Órbigo et Santo Toribio (par la N.120)

Distances	Villes, villages, sites	Alt.	FON	REF	BAR	ALI	CAS	RES	HOT	DAB	PH	BIV
–	Hospital de Órbigo	820	☺	☺	☺	☺	☺	☺	☺	☺	☺	
à 7,6 km	Pompiste La Vaguada	870	☺		☺		☺					
à 3,1 km	Crucero de Santo Toribio	860	☺									☺

REFUGES

SANTIBÁÑEZ DE VALDEIGLESIAS
• Près du bar fantôme. Refuge paroissial aménagé dans une vieille maison du village. Cuisine. 60 places. Tél.: 987 37 76 98.

ASTORGA
• Sur les murailles, à l'entrée dans la ville à gauche. Très grand refuge «Siervas de María» réhabilité en 2006. Cuisine. Tél.: 618 27 17 73.
• Refuge privé «Camino y Vía» aux passages à niveau avant de monter. 22 places. Cuisine. Tél.: 987 61 51 92/69 27. 6 €.

• Refuge privé «San Javier», ouvert en 2003 au 6 de la rue Portería, dans une belle maison ancienne. Bain de pieds. Cuisine. 100 places. Tél.: 987 61 85 32. 7 €.

Astorga (El Maragato y la Maragata)

À VOIR ET À SAVOIR

CRUCERO DE SANTO TORIBIO
• Le calvaire original fut dressé au Ve siècle par santo Toribio, évêque d'Astorga.

ASTORGA
Astorga fut, à l'époque romaine, un grand carrefour d'échange ; une voie romaine reliait Bordeaux à Astorga. Les spécialités d'Astorga sont le *cocido maragato* (sorte de pot-au-feu) et les *mantecadas* (biscuits au beurre).
• **Murailles.**
• **Conviento de San Francisco.**
• **Iglesia San Bartolomé** (du XIe siècle).

• **Catedral Santa María** (du XVe au XVIIIe siècle) avec une façade plateresque, des stalles et un retable du XVe.
• **Musée et trésor de la cathédrale.**
• **Palacio Episcopal de l'architecte Gaudi** (néogothique du XIXe siècle) : il abrite le **Museo de los caminos (musée des chemins).**
• **Puerta del Obispo** (porte de l'Évêque).

OÙ MANGER CONVENABLEMENT ?

ASTORGA
• *Sidería Casa Luis* (calle El Sol, 50).
• *Casa Maragata* (gastronomique).

HORAIRES DES MESSES

Villes, villages, sites	Semaine	Samedi	Dimanches et fêtes
Villares de Órbigo			12h00 + 13h00 (hiver)
Santibáñez de Valdeiglesias	20h30 (hiver 19h30)	20h30 (hiver 19h30)	11h00
Estebánez de la Calzada	21h30	21h30	12h00
San Justo de la Vega	10h00, 21h00	10h00, 21h00	11h00, 12h00
Astorga	Nombreux offices	Nombreux offices	Nombreux offices

Santibáñez de Valdeiglesias

DE **Astorga**
À **Rabanal del Camino**

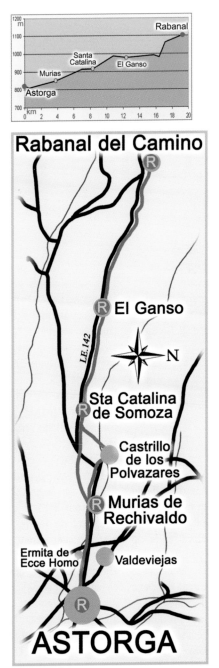

Murias : église

Étape agréable, passant par de ravissants petits villages. Le Chemin monte doucement, sans que l'on s'en rende vraiment compte. Déjà à Rabanal, le climat est semi-montagnard.
Après Astorga vous ne trouverez pas de distributeur de billets sur 50 km.

Chemin

Sortez d'Astorga en prenant le trottoir de la route LE.142. Après être passé devant la **chapelle de l'Ecce Homo**, franchissez l'autoroute. Suivez toujours la route par une *senda*, traversez le río Jerga et pénétrez dans **Murias de Rechivaldo** par un chemin sur la gauche. Traversez donc le village et continuez par la *senda*. Croisez la petite route de Castrillo et montez sur la piste jusqu'à **Santa Catalina de Somoza**. À la sortie de Santa Catalina, suivez encore cette même *senda* sur quelques kilomètres, pour arriver tout droit jusqu'à **El Ganso**. Traversez le village par une rue sur la droite qui bientôt rejoint la rue principale. Continuez toujours cette *senda*, qui longe une petite route, et bientôt, vous allez vous trouver devant **une fourche** : une route part sur la droite vers Rabanal el Viejo et l'autre va vers Rabanal del Camino. Prenez donc grand soin de bien prendre la petite route qui descend sur la gauche, traverse le ruisseau Rabanal et remonte fortement de l'autre coté. Vous passez bientôt à droite d'un vieux chêne imposant que l'on appelle : **El Carbayón del Peregrino** (le chêne du pèlerin). Remontez ensuite légèrement pour, peu après, arriver devant la **chapelle San José**. Montez alors dans le village de **Rabanal del Camino**.

🐚 Villes, villages et sites traversés entre ASTORGA et RABANAL DEL CAMINO

INFORMATIONS PRATIQUES

Distances	Villes, villages, sites	Alt.	FON	REF	BAR	ALI	CAS	RES	HOT	DAB	PH	BIV
– 262,2 km	Astorga	870	⊙	⊙	⊙	⊙	⊙	⊙	⊙	⊙	⊙	
à 2,1 km	« Ecce Homo » de Valdeviejas	870	⊙									⊙
à 2,1 km	Murias de Rechivaldo	890	⊙	⊙	⊙		⊙	⊙				⊙
à 4,5 km	Santa Catalina de Somoza	980		⊙	⊙		⊙	⊙	⊙			⊙
à 4,3 km	El Ganso	1 020	⊙	⊙	⊙		⊙	⊙				⊙
à 5,6 km	« El Carbayón » (vieux chêne)	1 100										
à 1,2 km	Rabanal del Camino	1 150	⊙	⊙	⊙	⊙	⊙	⊙	⊙		?	

Alternative entre Murias et Santa Catalina, par Castrillo de Los Polvazares

Distances	Villes, villages, sites	Alt.	FON	REF	BAR	ALI	CAS	RES	HOT	DAB	PH	BIV
–	Murias de Rechivaldo	890	⊙	⊙	⊙		⊙	⊙				⊙
à 2,1 km	Castrillo de los Polvazares	875	⊙		⊙		⊙	⊙				
à 1,9 km	Senda											
à 0,8 km	Santa Catalina de Somoza	980		⊙	⊙		⊙	⊙	⊙			⊙

REFUGES

MURIAS DE RECHIVALDO
• Légèrement à droite du Camino. Petit refuge simple. 20 places. Tél. : 987 69 11 50.
• Refuge privé « Las Aguedas » à la sortie du village. 40 places. Tél. : 987 69 12 34. 10 €.
• Refuge privé à la « Casa Flor » presqu'en face du refuge municipal. 40 places. Tél. : 609 47 83 23.

SANTA CATALINA DE SOMOZA
• Refuge simple. Calle Real. 36 places. Tél. : 987 69 18 19. 3 €.
• Refuge privé "El Caminante" ouvert en 2005. Calle Real. 24 places. Tél. : 987 69 10 98. 5 €.
• Refuge privé "San Blas" ouvert aussi en 2005. 20 places. Tél. : 987 69 14 11. 5 €.

EL GANSO
• Refuge très sommaire. Ni toilettes ni douches. Juste une petite fontaine à proximité… 16 places. Tél. : 987 69 10 82. Devrait être rénové prochainement.
• Refuge privé « Gabino » ouvert en 2007. Calle Real, 9 ; à la sortie du village. 24 places. Cuisine. Tél. : 625 31 85 85. 8 €.

RABANAL DEL CAMINO
• Refuge « Gaucelmo » : sur le Camino et la rue principale, en haut du village, près de l'église Santa María. Remarquable et très agréable refuge aménagé dans une vieille maison traditionnelle. Cuisine. 40 places. Tél. : 987 69 19 01.
• Refuge privé « Nuestra Señora del Pilar » : très agréable et confortable refuge avec un bar attenant. Cuisine. 72 places. Tél. : 987 63 16 21/616 08 99 42. 5 €.

• **Refuge municipal :** non loin du refuge privé « Nuestra Señora del Pilar ». Cuisine. 22 places. Tél. : 630 57 37 94/987 63 16 87.
• **Nouveau refuge privé** « El Tesín », en bas du village. 34 places. Cuisine. Tél. : 696 81 90 60/650 95 27 21. 5 €.

À VOIR ET À SAVOIR

VALDEVIEJAS
• **Ermita del Ecce Homo :** chapelle du xviie siècle (au bord de la route).

RABANAL DEL CAMINO
• **Ermita del Bendito Cristo de la Vera Cruz** (chapelle du Christ Béni de la Vraie Croix).
• **Ermita San José** (du xviiie siècle).
• **Iglesia Santa María** (templière du xiie siècle).

PERSONNAGES DU CAMINO

• **Les frères bénédictins**
  du Monasterio San Salvador
  del Monte Irago
  (de Rabanal del Camino)
C'est dans ce petit village de montagne que, depuis 1999, se sont installés quatre anciens pèlerins, moines bénédictins. Ils ne ménagent pas leurs efforts en restaurant leur prieuré ainsi que l'église Santa

Rabanal del Camino

María, très belle, mais très abîmée. C'est dans celle-ci qu'ils permettent aux pèlerins de suivre les offices qui ponctuent leur journée.

• **Les hospitaleros de Gaucelmo**
  (de Rabanal del Camino)
Dans le très agréable refuge « Gaucelmo », vous pourrez certainement vous rendre compte du soin que prend la très britannique Confraternity of Saint James à choisir des *hospitaleros* de grande qualité.

OÙ MANGER CONVENABLEMENT

Murias de Rechivaldo
• **Bar « Los Alamos »** ou restaurant *Felix* spécialisé dans le Cocido Maragato.

HORAIRES DES MESSES

Villes, villages, sites	Semaine	Samedi	Dimanches et fêtes
Murias de Rechivaldo			13 h 00
Santa Catalina de Somoza			11 h 00
El Ganso			11 h 30
Rabanal del Camino	Nombreux offices	Nombreux offices	Nombreux offices

DE **Rabanal del Camino**
À **Ponferrada**

Forteresse templière de Ponferrada

Cette étape est certainement une des plus belles du Camino. Sachez admirer ces merveilleux paysages traversés et les garder précieusement dans votre mémoire.

Peu après les antennes de transmission (après Manjarín), le Chemin redescend très fortement dans la vallée. Par conséquent, vos muscles et vos articulations seront terriblement sollicités.

Attention ! À bicyclette, sur ce même tronçon, soyez très vigilant sur l'état de vos freins. Cette route a déjà tué des pèlerins à vélo.

Chemin

De l'église Santa María, prenez un sentier qui monte puis, bientôt, rejoignez la petite route sinueuse Rabanal-Ponferrada. Quelques cen-

taines de mètres plus loin, descendez (sur la gauche) par un petit sentier qui coupe une courbe de la route en passant en contrebas, devant une fontaine. Le sentier remonte alors très fortement sur la route. Suivez-la (toujours en montant) sur quelques kilomètres et passez devant une autre fontaine (au km 25). Après avoir suivi quelques lacets de la route, sur environ 2,5 km, prenez un chemin (à gauche) qui traverse le petit village de **Foncebadón**. Par ce chemin, persistez à monter encore. Peu après, reprenez à nouveau la route pour arriver bientôt devant la célèbre **Cruz de Ferro**. Jetez votre caillou et empruntez un petit sentier qui suit plus ou moins la route sur la droite. Bientôt, vous arrivez dans le tout petit hameau de montagne de **Manjarín del Puerto**. Sur votre droite, se trouve le curieux refuge rudimentaire de Tomás. Partez de

Manjarín en marchant sur la même petite route. Un chemin, sur votre gauche, coupe les lacets de la route en passant par une fontaine-abreuvoir. Reprenez ensuite la route qui monte jusqu'aux **tours de transmission militaire**. Peu après, la route redescend très fortement, notamment après le km 36, vous offrant un panorama extraordinaire sur la vallée du Bierzo. Juste après un virage sur la gauche, prenez (sur votre droite) un chemin qui monte un peu, pour redescendre beaucoup plus, afin de couper la route. Peu après, suivez un autre chemin qui part à gauche, sur une crête, et qui, quelques centaines de mètres plus loin, plonge de façon vertigineuse sur **El Acebo**. Descendez le village par sa rue centrale et continuez la route. Après un grand virage à droite (170 m après le km 42), prenez un chemin (sur votre gauche) qui descend à travers le maquis, jusqu'à **Riego de Ambrós**. Traversez le village pour en ressortir par un petit chemin qui descend encore très fortement, passant bientôt devant de magnifiques **châtaigniers géants**. Franchissez la route et prenez alors un joli chemin sinueux qui, au bout de quelques kilomètres dans la nature, vous dépose au bord de cette même route (près d'une église). Suivez-la vers la droite pour entrer dans **Molinaseca** (par le pont médiéval). Traversez cette petite bourgade pour prendre la route de Ponferrada. Peu après, vous passez devant le refuge privé et, de l'autre côté, la chapelle San Roque, aménagée en refuge municipal. Suivez la route jusqu'à l'**Urbanizacion Patricia de Campo**.

Là, deux possibilités s'offrent à vous :

A • Suivez la route par son trottoir, jusqu'à l'entrée de **Ponferrada**. Par une piste qui quitte la route vers la gauche, passez entre entrepôts et potagers, traversez les voies ferrées et arrivez directement au refuge (par la chapelle du Carmen). Vous gagnez deux kilomètres !

B • Laissez la route en prenant un chemin (sur la gauche). Vous arrivez vite à **Campo** puis à **Puente Boeza** où, comme son nom l'indique, se trouve un pont sur le río Boeza (qu'il vous faudra donc traverser).

Vous entrez dans **Ponferrada** en passant sous une voie ferrée. En montant encore, vous vous retrouvez devant l'impressionnante **forteresse des Templiers** et, plus loin, devant la **basilique Nuestra Señora de la Encina**.

Manjarin avec le frère Tomás

🐚 Villes, villages et sites traversés entre RABANAL DEL CAMINO et PONFERRADA

INFORMATIONS PRATIQUES

Distances	Villes, villages, sites	Alt.	FON	REF	BAR	ALI	CAS	RES	HOT	DAB	PH	BIV
- 242,4 km	Rabanal del Camino	1140	⊙	⊙	⊙	⊙	⊙	⊙	⊙		?	⊙
à 5,7 km	Foncebadón	1435	⊙	⊙	⊙	?	⊙	⊙				
à 1,9 km	La Cruz de Ferro	1505	E									⊙
à 2,4 km	Manjarín del Puerto	1445		⊙	R		R					
à 2,1 km	Base militaire (antennes)	1504										
à 1,2 km	Point culminant	1520										
à 3,8 km	El Acebo	1145	⊙	⊙	⊙	⊙	⊙	⊙				
à 3,4 km	Riego de Ambrós	930	⊙	⊙			⊙	⊙				
à 0,4 km	La Anduriña	845		⊙			⊙	⊙				
à 4,5 km	Molinaseca	585	⊙	⊙	⊙	⊙	⊙	⊙				⊙
à 4,2 km	Patricia de Campo	530										
à 3,8 km	Puente Boeza	505			⊙	⊙	⊙	⊙				
à 1,2 km	Ponferrada	550	⊙	⊙	⊙	⊙	⊙	⊙	⊙	⊙	⊙	

Alternative Entre Campo et Ponferrada, par la route (trottoir)

Distances	Villes, villages, sites	Alt.	FON	REF	BAR	ALI	CAS	RES	HOT	DAB	PH	BIV
-	Patricia de Campo	530										
à 2,9 km	Ponferrada	550	⊙	⊙	⊙	⊙	⊙	⊙	⊙	⊙	⊙	

REFUGES

FONCEBADÓN

• Refuge paroissial miniature « Domus Dei » (ouvert seulement l'été), aménagé dans l'église du village de Foncebadón. 18 places. ✝

• Refuge privé « Monte Irago », ouvert en 2006 et agrandi en 2008. Salle de yoga et de méditation, nourriture végétarienne. 32 places. Tél. : 695 45 29 50. 9 €.

• Refuge privé ouvert en 2003 au rez-de-jardin de l'hôtel. 30 places. Tél. : 658 97 48 18. 7 €. ✝

MANJARÍN

• Au milieu des montagnes, entre chiens, chats, poules et oies, ce refuge de montagne est tenu depuis 1993 par Tomás : « le dernier des Templiers ». Cette halte peut être salutaire lorsque les pèlerins se perdent dans les montagnes, lorsque les conditions climatiques sont défavorables, voire dangereuses. Arrêtez-vous au moins boire un café. Ce lieu, bien que très sommaire et pittoresque, est très séduisant. Terrain de camping. 34 places.

EL ACEBO

• Refuge paroissial, ouvert en 2007 dans la calle de la Iglesia. 23 places. ✝

• À l'entrée du village, à droite de la route. Petit refuge simple de 10 places.

• À la Mesón El Acebo, sur la rue principale. Refuge privé confortable. 34 places. Tél. : 987 69 50 74.

• À la Casa José. Refuge privé de 14 places.

RIEGO DE AMBRÓS
• Refuge public de gestion privée, ouvert en 2001. Pratique. 40 places. Cuisine. Tél.: 987 69 51 90 et 696 48 28 73.

MOLINASECA
• À environ 800 m après le bourg à gauche, le long de la route. Refuge aménagé dans l'ancienne chapelle San Roque. Toute l'année. Cuisine, 28 lits. Tél.: 987 45 30 77 et 615 30 23 90. 5 €
• Refuge privé « Santa Marina » spacieux et silencieux, 55 places. Toute l'année. 7 €. Tél.: 615 30 23 90. À la sortie du village également mais sur le trottoir de droite.

PONFERRADA
• Vers l'entrée de la ville (par la route), dans la calle del Loma, à proximité de la petite chapelle Nuestra Señora del Carmen, se dresse le grand refuge de pèlerins San Nicolás de Flüe (saint patron de la Suisse). Ouvert en 2000, il est moderne, confortable et bien adapté. Une importante partie de son financement a été apportée par Joseph ; un pèlerin suisse, désireux d'apporter sa contribution au Camino, de façon désintéressée. Un exemple à suivre. Cuisine ultramoderne souvent en panne. 202 places. Tél.: 987 41 33 81.

À VOIR ET À SAVOIR

FONCEBADÓN
• Très ancien village (actuellement en cours de repeuplement) où Ramiro II rassembla un concile au xe siècle.

CRUZ DE FERRO
• **La Cruz de Ferro** ou Cruz de Hierro (la Croix de Fer) : cairn monumental surmonté d'une croix. Probablement d'origine romaine, et christianisé par l'ermite Gaucelmo de Foncebadón (au xie siècle). Ici, les pèlerins avaient coutume de jeter au sommet du monticule, un caillou originaire de chez eux. Cette pierre devait avoir un poids proportionnel aux péchés qu'ils estimaient avoir accumulés. Cette tradition se perpétue encore de nos jours.
• **Ermita de Santiago**, érigée en cette place (en 1982) avec des éléments de l'ancienne église de Manjarín.

EL ACEBO
• **Iglesia San Miguel**.

Descente sur El Acebo

Cruz De Ferro

MOLINASECA
• **Pont d'origine romaine**, constamment remanié. Sous ce pont a été aménagé une sorte de plage fluviale. Idéale pour se détendre les muscles après la sévère descente d'aujourd'hui.

PONFERRADA
Ville d'origine romaine.
• **Le Pons Ferratus :** le pont de fer qui donna son nom à la ville (dont on parlait déjà au XIe siècle) a été totalement enveloppé dans le nouveau pont de béton.
• **Forteresse des Templiers :** exceptionnelle architecture militaire du XIIIe siècle.
• **Basilica Nuestra Señora de la Encina** (patronne du Bierzo) : basilique dédiée à la Vierge dont une statue a été découverte par un chevalier templier au XIIIe siècle dans un chêne rouvre (encina). Construction des XVIe et XVIIe siècles. En 2003, a été dressée une statue représentant le chevalier et l'arbre sacré, sur la place de la Encina.
• **Torre y Puerta de la Reloj** (tour et porte de l'horloge), du XVIe siècle.

• **Ayuntamiento** (Hôtel de ville), du XVIIe siècle.
• **Conviento de las Concepcionistas** (du XVIe siècle).

PERSONNAGES DU CAMINO

• **Tomás** (de Manjarín)
Ancien haut dirigeant d'un important syndicat révolutionnaire, Tomás a décidé, suite à un pèlerinage à Santiago, de quitter Madrid et son confort, pour s'installer à Manjarín. Là, dans un refuge sans eau ni électricité dans lequel il vit toute l'année (même l'hiver sous deux mètres de neige), il accueille tous les pèlerins de passage avec un bon café chaud, sous le Gonfanon Beaucent des Templiers. Il fera certainement sonner la cloche à votre arrivée à Manjarín.

• **Alfredo** (de Molinaseca)
Pèlerin multirécidiviste, Alfredo accueille les pèlerins dans le refuge de Molinaseca depuis de nombreuses années, désormais il accueille également dans son gîte privé « Santa Marina ». Il est toujours très au courant des

derniers «scoops» et polémiques du Camino et prêt à rendre service.

• **Don Miguel Angel**
  (de Ponferrada)
Sympathique curé chargé, entre autres, de la gestion du refuge de pèlerins San Nicolás de Flüe et du soutien spirituel aux pèlerins. Le soir, après la prière qu'il propose, il fait une visite explicative de la petite chapelle Nuestra Señora del Carmen, qui se trouve à proximité.

OÙ MANGER CONVENABLEMENT ?

FONCEBADÓN
• *La Taberna de Gaia.*

EL ACEBO
• *Mesón El Acebo.*

Cruz de Ferro

HORAIRES DES MESSES

Villes, villages, sites	Semaine	Samedi	Dimanches et fêtes
Riego de Ambrós			17h00
Molinaseca	17h00	18h00	13 h
Ponferrada	Nombreux offices	Nombreux offices	Nombreux offices

DE **Ponferrada**
À **Villafranca del Bierzo**

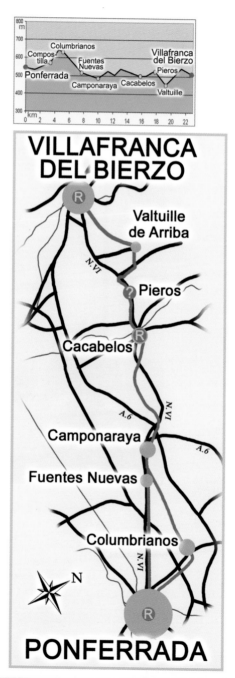

Le vignoble du Bierzo

*Étape dans cette belle région
vinicole et gastronomique
qu'est le Bierzo. Celle-ci pourrait
être merveilleuse, s'il n'était
nécessaire de traverser
les faubourgs industriels
et les abords des anciennes mines
de tungstène (à la sortie
de Ponferrada).
Si vous souhaitez couper
par la N.VI, sortez de Ponferrada
vers la Estación de autobuses.
Encore un peu de plaine avant
d'attaquer l'ascension de la
cordillère cantabrique de Galice.
Entre Pieros et Villafranca,
le chemin fut modifié en 2004
pour retrouver son tracé original,
« El Camino de la Virgen » par
Valtuille de Arriba.*

🐚 Chemin

Au sortir du refuge, rejoignez
l'ayuntamiento, traversez le río
Sil et attaquez la ville nouvelle de
Ponferrada par une orientation
étonnante, parfois par plein est.

Ensuite, reprenez une orientation
normale dans la zone pavillon-
naire de **Compostilla**. Passez sous
la rocade et redescendez sur
Columbrianos. Là, traversez la
N.361 et prenez une piste goudronnée (en face) qui, quelques
centaines de mètres plus loin,
perd son goudron. Encore un
peu plus loin, traversez **Fuentes
Nuevas** et continuez ensuite
jusqu'à **Camponaraya**. Sortez par
la route et, après la Coopérative
des vins du Bierzo, montez sur la
passerelle qui emjambe l'autoroute. Suivez la piste à travers
les vignes et quelques futaies.
Traversez le río Magaz et continuez ce chemin jusqu'à franchir
la N. VI. Prenez ensuite une piste
en face. Peu après, vous arrivez à
Cacabelos. Passez d'abord devant
l'Hospital San Lázaro de la Moncloa. Puis, passez par l'église,
sortez de Cacabelos par la N. VI
et traversez le río Cúa. Suivez toujours la N. VI en montant jusqu'à
Pieros. Peu après ce village,
suivez une petite route qui quitte

la nationale vers la droite. À hauteur d'un pylône haute-tension, tirez à gauche par une piste pour vous rendre à **Valtuille de Arriba**

et son canal. Celle-ci monte et descend au milieu des vignes, sur quelques kilomètres, jusqu'à **Villafranca del Bierzo**.

🐚 Villes, villages et sites traversés entre PONFERRADA et VILLAFRANCA DEL BIERZO

INFORMATIONS PRATIQUES

Distances	Villes, villages, sites	Alt.	FON	REF	BAR	ALI	CAS	RES	HOT	DAB	PH	BIV
- 209,2 km	Ponferrada	540	⚙	⚙	⚙	⚙	⚙	⚙	⚙	⚙	⚙	
à 3,3 km	Compostilla	545	⚙		⚙	⚙	⚙					⚙
à 1,5 km	Eglise de Columbrianos	550	⚙									⚙
à 0,6 km	Columbrianos	530	⚙		⚙	⚙	⚙	E	E		E	
à 2,8 km	Fuentes Nuevas	510	⚙		⚙	⚙	⚙	⚙	E		E	⚙
à 1,8 km	Camponaraya	490	⚙		⚙	⚙	⚙	⚙		⚙	⚙	
à 5,9 km	Cacabelos	485	⚙	⚙	⚙	⚙	⚙	⚙	⚙	⚙	⚙	⚙
à 2,2 km	Pieros	545	⚙	⚙								
à 1,9 km	Valtuille	560	⚙		é							⚙
à 4,9 km	Villafranca del Bierzo	520	⚙	⚙	⚙	⚙	⚙	⚙	⚙	⚙	⚙	

Alternative par la N. VI (trottoir)

Distances	Villes, villages, sites	Alt.	FON	REF	BAR	ALI	CAS	RES	HOT	DAB	PH	BIV
–	Ponferrada	540	⚙	⚙	⚙	⚙	⚙	⚙	⚙	⚙	⚙	
à 3,6 km	Cuatro Vientos	525			⚙			⚙	⚙	⚙		
à 4,1 km	Campomaraya	490	⚙		⚙	⚙	⚙			⚙	⚙	

REFUGES

CACABELOS

• Dans le Sanctuario de la Virgen de Las Angustias, aménagé en 1999. À la sortie de la ville, après avoir traversé le río Cua, autour de l'église. Audacieux refuge municipal. Intime, confortable, amusant. On peut regretter l'absence d'une cuisine et d'un espace convivial et couvert afin que les pèlerins puissent se réunir lorsqu'il pleut. 70 places. Tél.: 987 54 71 67/987 546 151. 6 €.

VILLAFRANCA DEL BIERZO

• À l'entrée du bourg, à droite, peu avant l'église Santiago, en bas. Refuge municipal moderne et confortable. Grande salle à manger. Cuisine. 62 places. Tél.: 987 54 26 80. de mars à novembre. 6 €.

• À l'entrée du bourg également, mais à gauche, juste après l'église Santiago. Refuge «Ave Fenix» de la famille Jato bâti par des bénévoles, 80 places. Tél.: 987 54 26 55. 5 €.

• Refuge privé «Albergue de la Piedra» ouvert en 2009 à la sortie de la ville. 16 places, cuisine. 8 €. Tél.: 987 54 02 60/618 74 34 65.

PIEROS

• Refuge «El Serval y la luna» ouvert en 2010 au 15 de la calle Del Pozo. 18 places. Ouvert toute l'année. Tél.: 639 88 89 24. 7 €.

À VOIR ET À SAVOIR

CACABELOS

• **Hospital San Lázaro** (du xiiie siècle), aménagé en épicerie fine et en restaurant (La Moncloa).
• **Ermita de San Roque** (du xve siècle).
• **Iglesia Santa María de la Plaza** (des xiie et xvie siècles).

VILLAFRANCA DEL BIERZO

• **Iglesia de Santiago** (du xiie siècle), flanquée de la Puerta del Perdón, sous laquelle les pèlerins mourants pouvaient obtenir les mêmes indulgences qu'à la cathédrale de Santiago, lors des années jubilaires.
• **Castillo de los Marqués** (des xve et xvie siècles).
• **Iglesia San Francisco**.
• **Colegiata Santa María de Cluniaco** (du xvie siècle).
• **Convinto de la Anonciación** (du xviie siècle).

PERSONNAGES DU CAMINO

• Jesús Jato
 (de Villafranca del Bierzo)
Vouée à l'accueil des pèlerins depuis plusieurs générations, la famille Jato héberge ceux-ci dans un très pittoresque refuge. (NDLA. Il m'a réservé le pire accueil en 2007 lors de mon pèlerinage entre Rome et Santiago)

OÙ MANGER CONVENABLEMENT ?

CACABELOS

• *La Moncloa* (gastronomique).
• *Mesón El Apostól*.

VILLAFRANCA DEL BIERZO

• *El Padrino*.

Cacabelos

HORAIRES DES MESSES

Villes, villages, sites	Semaine	Samedi	Dimanches et fêtes
Columbrianos	19h30	19h30	18h00 et 12h30
Fuentes nuevas	18h30 (hiver)	20h (été)	11h00, 12h30
Camponaraya			12h00
Cacabelos	20h00	20h00	9h, 10h30, 12h
Pieros			12h45
Valtuille			11h30
Villafranca del Bierzo	Nombreux offices	Nombreux offices	Nombreux offices

DE **Villafranca del Bierzo**
À **O Cebreiro**

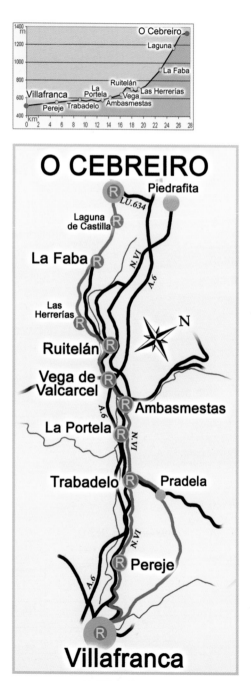

Avec l'étape pyrénéenne, celle-ci est sans aucun doute physiquement la plus éreintante du Camino. En effet, la rude ascension commence, alors que vous avez déjà vingt kilomètres dans les jambes. N'hésitez pas à tronçonner l'étape à votre guise avec les nombreux refuges qui la jalonnent. Le climat du Cebrero est montagnard et très rude et il ne serait pas étonnant que vous arriviez sous la tempête, alors qu'il fait beau partout ailleurs.

Si vous choisissez le Chemin Jato (à la sortie de Villafranca), sachez que ce tronçon est physiquement très éprouvant et que vous n'y trouverez pas d'eau. En revanche, le panorama sur la vallée de Valcarcel est absolument magnifique.

La voie normale, a été aménagée, fin 2003 par un couloir asphalté, recouvert d'un revêtement synthétique jaune, le long de la N.VI et sécurisé par un petit muret. C'est la « Corredoira du XXIᵉ siècle ! » La nouvelle autoroute passe sur l'autre rive du río Valcarcel. Elle défigure à tout jamais la vallée, mais libère la N. VI de la quasi-totalité de son trafic. Dans le village de Laguna de Castilla, peut-être verrez-vous une borne sur laquelle est inscrite K.153 ; s'il s'agit de la première borne de décomptage des kilomètres vous séparant de Santiago. Par la suite, vous en trouverez tous les cinq cents mètres, avec quelques petites imprécisions, jusqu'au K.12.

![Iglesia Santa María – La Real del Cebrero]

Iglesia Santa María – La Real del Cebrero

Chemin

De l'église Santiago de Villafranca del Bierzo, descendez dans la ville en passant devant le château fort et la *calle del Agua*.
Bientôt, deux possibilités s'offrent à vous :

A • Partez vers la droite, traversez le río Burbia et montez sur les hauteurs par le **Chemin Jato**. Ensuite redescendez et rejoignez le Camino à la sortie de **Trabadelo**.

B • Après avoir longé le río Burbia par un tronçon de l'ancienne N. VI (afin d'éviter le tunnel), rejoignez et traversez la nationale. Passez derrière la glissière de sécurité en béton et suivez la N. VI par cette *senda* sécurisée. Au km 410, traversez la nationale et prenez l'ancienne N. VI, bordée de chataigners, pour traverser **Pereje**. Reprenez ensuite la *senda* pour entrer dans **Trabadelo** de la même façon que vous êtes entré dans Pereje. Prenez la rue principale, puis la petite route qui la prolonge. Traversez bientôt le río, passez sous l'autoroute et reprenez le couloir à pèlerins. Peu après le km 418, traversez prudemment un petit échangeur, passez devant l'hôtel Valcarcel et entrez dans **La Portela de Valcarcel** (par la statue jacquaise érigée en mai 2003). Peu après La Portela, prenez à gauche, l'ancien tracé de la N. VI par laquelle vous arrivez à **Ambasmestas** et son aire de repos. Vient ensuite **Vega de Valcarcel** (ou de Valcarce). Continuez à suivre la route en longeant le río Valcarcel, et en montant vers **Ruitelán**. Ensuite, descendez à gauche, pour traverser le río à **Las Herrerías** et

Hospital Inglés. Montez par cette route sur quelques centaines de mètres pour prendre, à gauche, un petit chemin qui descend et qui remonte de l'autre côté du vallon. À partir de cet endroit précis, le Chemin ne cesse de grimper très fortement sur de nombreux kilomètres, surtout jusqu'à **La Faba**. Passez devant le très surprenant Rincón de Rosalina, puis reprenez la grimpette jusqu'à **Laguna de Castilla**. Peu après, vous passez devant un monument monolithique vous indiquant que vous entrez en Galice par la **Province de Lugo**. Quelques centaines de mètres plus loin, vous arrivez à **O Cebreiro** (ou El Cebrero).

Villes, villages et sites traversés entre VILLAFRANCA DEL BIERZO et O CEBREIRO

INFORMATIONS PRATIQUES

Distances	Villes, villages, sites	Alt.	FON	REF	BAR	ALI	CAS	RES	HOT	DAB	PH	BIV
- 184,3 km	Villafranca del Bierzo	510	✪	✪	✪	✪	✪	✪	✪	✪	✪	
à 4,9 km	Pereje	540	✪	✪	✪			✪	✪	C		✪
à 4,5 km	Trabadelo	550	✪	✪	✪	✪	✪	✪	✪		✪	
à 4,2 km	La Portela de Valcarcel	600	✪	✪	✪			✪	✪	✪	E		✪
à 1,1 km	Ambasmestas	600	✪		✪			✪	✪	C			✪
à 1,7 km	Vega de Valcarcel	635	✪	✪	✪	✪	✪	✪			✪	✪	
à 2,1 km	Ruitelán	650	✪	✪	✪	✪	✪						
à 1,8 km	Las Herrerías de Valcarcel	680	✪	✪	✪	✪	✪	✪	C				
à 0,8 km	Hospital Inglés	885											✪
à 2,9 km	La Faba	915	✪	✪	✪		✪						
à 2,5 km	Laguna de Castilla	1 165	✪	✪	✪		✪	✪					
à 1,1 km	Monolithe Galicia	1 255											
à 1,2 km	O Cebreiro	1 315	✪	✪	✪	✪	✪	✪	✪				✪

Alternative entre Villafranca et la sortie de Trabadelo par Pradela

Distances	Villes, villages, sites	Alt.	FON	REF	BAR	ALI	CAS	RES	HOT	DAB	PH	BIV
-	Villafranca del Bierzo	510	✪	✪	✪	✪	✪	✪	✪	✪	✪	
à 8,2 km	Pradela	950	✪		✪								
à 3,1 km	Sortie de Trabadelo	580	✪	✪	✪	✪	✪	✪	✪		✪		

REFUGES

PEREJE
• Entre la rue du Camino et la N. VI. Grand, beau et confortable refuge. Cuisine. 27 lits. Tél.: 987 54 01 38. 5 €.

TRABADELO
• Refuge municipal, ouvert de février à novembre depuis fin 2003, face à la mairie. 38 lits dans de petites chambres. Cuisine. Tél.: 687 82 79 87. 6 €.
• Refuge privé « Casa Crispeta » sur la droite, à l'entrée du village. 20 places. Tél.: 987 56 65 29/ 620 32 93 86.

LA PORTELA DE VALCARCE
• Refuge privé du bar « El peregrino », ouvert en février 2004. 40 places dans de petites chambres à quatre lits. Tél.: 987 54 31 97. 8 €.

AMBASMESTAS
• Refuge privé « Das Animas » ouvert en 2005. 30 places. Cuisine (micro-ondes). Tél.: 619 04 86 26.

VEGA DE VALCARCEL
• Refuge privé "N.S. Aparecida do Brasil" ouvert par des Brésiliens en 2004, à l'entrée de Vega. Ambiance tropicale. 45 places. Tél.: 987 54 30 45. 7 €.

• En montant à droite, sous le viaduc. Refuge municipal. 64 places. Cuisine . Tél.: 987 54 31 92.

RUITELÁN
• À droite avant le bar. Refuge privé « El pequeño Potala », ouvert en 2000. Agréable, reposant, calme avec une bonne ambiance. Le dîner et le petit déjeuner sont généralement proposés aux pèlerins sous le portrait souriant du Dalaï-Lama. 34 lits. Tél.: 987 56 13 22. 5 €.

LAS HERRERÍAS
• Refuge privé « Las Herrerías », calle de la Iglesia, 8. Nourriture végétarienne, 19 places. Tél.: 654 35 39 40. 5 €.

LA FABA
• À gauche, à côté de la petite église. En partie financé par des pèlerins allemands. 37 places. Tél.: 630 83 68 65.

LAGUNA DE CASTILLA
• Refuge privé « A Escuela » joint au bar. 18 places. Ouvert de mars à novembre. Tél.: 987 684 786/ 619 479 238.

O CEBREIRO
• À la sortie du village. Grand refuge de la Xunta de Galicia. Cuisine. 104 places. Tél.: 660 39 68 09 et 626 91 95 83.

À VOIR ET À SAVOIR

O CEBREIRO (ou El Cebrero)
• **Le Miracle du Cebreiro :** au Moyen Âge, un paysan bravant une terrible tempête monta au Cebreiro afin d'y entendre la messe. Le curé du moment, peu convaincu de sa foi et de son sacerdoce, célébra le Saint Office à contrecœur pour ce seul fidèle. Au moment de l'Élévation, le pain se changea subitement en Chair et le vin en Sang. Depuis ce jour, des pèlerins de tout le pays affluent au Cebreiro.
• **Iglesia primitiva Santa María la Real :** des IXᵉ et XIᵉ siècles, elle contient des **fonts baptismaux** du IXᵉ siècle et la très vénérée **Vierge** du XIIᵉ. Surtout s'y trouvent les **Saintes Espèces**, le **Calice** (saint Graal ?) et la **Patène** du XIIᵉ, ayant servi lors du fameux Miracle du Cebreiro.
• **Musée ethnographique**, dans une palloza (chaumière galicienne, circulaire, pré-romaine).

PERSONNAGES DU CAMINO

• Luis et Pilar (du Cebrero)
Ce couple, extrêmement sympathique, possède la « Hospedería San Giraldo de Aurillac ». Pilar est la nièce de Don Elias Valiña. Curé du Cebreiro, Don Elias consacra une grande partie de son existence au Chemin de Saint-Jacques et à l'accueil des pèlerins. En outre, il fut l'un des premiers, avec Don Javier Navarro, à baliser le Camino de flèches jaunes et a participé activement, lors de ces dernières décennies, à relancer le pèlerinage. Au bar de la *Hospedería San Giraldo de Aurillac*, vous pouvez, lever la *bota de vino* (gourde de vin, en peau) en sa mémoire, avec l'approbation de sa sœur Amelia. Le buste de Don Elias Valiña trône en bonne place, à côté de l'église.

OÙ MANGER CONVENABLEMENT ?

O CEBREIRO
• *Hospedería San Giraldo de Aurillac.*
• *Mesón Antón.*

HORAIRES DES MESSES

Villes, villages, sites	Semaine	Samedi	Dimanches et fêtes
Pereje		20h00	
Pradela			12h00
Trabadelo			13h00
Ambasmestas		19h00	17h00 (l'été)
Vega de Valcarcel	19h00	19h00	13h00
Ruitelán			12h00 (1 semaine/2)
Las Herrerías			11h30 (1 semaine/2)
O Cebreiro	12 h	12h00	12h00 et 20h00

DE O Cebreiro
À Triacastela

Alto de San Roque

Rude étape de descente dans la vallée, durant laquelle vous vous insérerez au cœur de la Galice. Les habitants de cette région comptent parmi les peuples reconnus Celtes. Vallonnée et verdoyante, la Galice «bénéficie» d'un climat très souvent pluvieux (il pleut près de 300 jours par an à Santiago). La Galice possède aussi de nombreux menhirs et dolmens. Les Galiciens boivent du cidre (sidra), de l'hydromel (aguardiente con mel), mangent du cochon, du bœuf, des choux, des crêpes et des fruits de mer (le poulpe est une grande spécialité de la Galice). Les Bretons ne se sentiront pas dépaysés. Les Galiciens ont aussi leur langue : le gallego (ancêtre du portugais). Depuis 1993, la Xunta de Galicia (gouvernement de Galice) avait mis gratuitement des refuges à la disposition des pèlerins. Tous avec cuisine, chauffage, eau chaude, etc. Depuis 2008, la gestion des refuges de la Xunta a été privatisée. Le prix est désormais fixé à 5 €. Attention ! À vélo, soyez prudent dans la descente jusqu'à Triacastela. Vérifiez soigneusement vos freins !

Chemin

Au sortir du Cebrero, **deux possibilités s'offrent à vous :**

A • Montez fortement au-dessus du refuge pour, en semi sous-bois, redescendre de l'autre côté de la montagne. De là, vous pouvez, si les conditions météorologiques s'y prêtent, admirer une vue remarquable sur la verdoyante Galice. Prenez ensuite, vers la droite, la piste devant les lignes à haute tension et descendez sur **Liñares**.

B • (Alternative préférable en cas de tempête de neige ou de brouillard). Sortez du refuge et descendez sur la route LU.634. Suivez cette route jusqu'à **Liñares** (3 km). À la sortie du hameau, après la maison de Carrilano (vers le refuge des spéléologues), prenez la petite route à droite, puis un chemin qui vous ramène un peu plus loin, sur la LU.634. Continuez sur la route en montant sur **l'Alto de San Roque**. Sur votre droite se dresse la statue de bronze très réaliste d'un pèlerin luttant contre le vent (K.147). Là, prenez un chemin qui, bientôt, descend sur la droite et, peu après, remonte à **Hospital da Condesa**. Continuez encore sur la route et, un peu plus loin (en descendant sur la droite), prenez la petite route du Temple (sur quelques mètres). Attrapez ensuite le chemin qui monte (à gauche) et qui mène à **Padornelo**. De là, par un petit chemin, attaquez la courte (mais rude) ascension de **l'Alto do Poio**. Redescendez par la route sur quelques centaines de mètres. Prenez ensuite un chemin (sur la droite), parallèle à celle-ci, jusqu'à **Fonfría** et, plus loin, **Biduedo** (ou Viduedo). Continuez par un chemin qui descend très fortement sur **Filloval**. Viennent ensuite respectivement les hameaux de **As Pasantes**, **Ramil** et, enfin, **Triacastela**.

❀ Villes, villages et sites traversés entre O CEBREIRO et TRIACASTELA

INFORMATIONS PRATIQUES

Distances	Villes, villages, sites	Alt.	FON	REF	BAR	ALI	CAS	RES	HOT	DAB	PH	BIV
- 155,5 km	O Cebreiro	1315	✿	✿	✿	✿	✿	✿	✿			✿
à 3,2 km	Liñares	1235	✿		✿	✿	✿	✿	C			
à 1 km	Alto de San Roque	1270										
à 1,7 km	Hospital da Condesa	1245	✿	✿	✿				C			✿
à 2,2 km	Padornelo	1280	✿									✿
à 0,5 km	Alto do Poio	1335		?	✿	✿	✿	✿	✿			
à 3,4 km	Fonfría	1285	✿	✿			✿	✿	C			
à 2,4 km	Biduedo (Viduedo)	1200	✿		✿		✿	✿	C			✿
à 3,1 km	Filloval	975	✿									
à 1,7 km	As Pasantes	800	✿									
à 1,1 km	Ramil	700	✿									
à 0,7 km	Triacastela	665	✿	✿	✿	✿	✿	✿	✿	✿	✿	✿

REFUGES

HOSPITAL DA CONDESA
• Au-dessus de la route, à droite, petit refuge blanc de la Xunta de Galicia, aménagé dans d'anciennes écoles d'allure cubique. Cuisine. 18 places. Tél. : 660 39 68 10. 5 €.

FONFRÍA
• Refuge privé « A Reboleira », ouvert en 2004. Accueil chaleureux dans un gîte confortable et agréable. 40 places. Tél. : 982 18 12 71/659 06 11 96. 8 €.

ALTO DO POIO
• Refuge privé de 18 places. Confirmez par tél. au 982 36 71 72.

TRIACASTELA
• À l'entrée du village, dans un pré sur la gauche. Grand refuge de la Xunta de Galicia. Les grin-cements des portillons « saloon » vous berceront certainement toute la nuit. 56 places. Tél. : 660 39 68 11/638 96 28 14. 5 €.
• Refuge privé « Berce do Camiño », ouvert en 2004 par le bar Río. 27 places. Cuisine. Tél. : 982 54 81 33/27. 7 €.
• Refuge privé « Oribio », ouvert en 2004 au 20 Avenida de Castilla. 27 places. Cuisine. Tél. : 982 54 80 85 et 616 77 45 58. 7 €.
• Refuge privé « Aitzenea », ouvert en 2000. Près de la bifurcation des Camino de Samos et de San Xil. Cuisine. 38 places. Tél. : 982 54 80 76 et 944 60 22 36. 7 €.
• Refuge privé « Complexo Xacobeo », calle Cadorniga Carro, 36 places. Ouvert toute l'année. Tél. : 982 548 037/696 55 32 54. 7 €.

À VOIR ET À SAVOIR

TRIACASTELA

• Ce village tire sûrement son nom des trois châteaux qui, jadis, l'entouraient. Ils figurent encore sur la façade de l'église paroissiale.
• **Iglesia de Santiago** (des XIIᵉ et XVIIᵉ siècles).

PERSONNAGES DU CAMINO

• Remedios (de l'Alto do Poio)
Depuis des années, Remedios accueille les pèlerins assoiffés dans son bar, au sommet de l'Alto do Poio. En ce col, souvent le théâtre de tempêtes et de brouillards épais, Remedios a aménagé un refuge de fortune.

• Don Augusto (de Triacastela)
Curé de la paroisse, il s'active très fort afin de fournir aux pèlerins le soutien spirituel dont ils ont besoin. Chaque soir, à l'église, il célèbre une chaleureuse messe, laquelle est suivie d'une bénédiction aux pèlerins.

• Jesús (de Triacastela)
Hospitalero sympathique, il accueille chaleureusement les pèlerins dans le grand et agréable refuge de la Xunta de Galicia à Triacastela. Parfois assisté par ses deux grands fils, il doit aussi s'occuper de son exploitation agricole.

OÙ MANGER CONVENABLEMENT ?

ALTO DO POIO
• *Le petit bar de Remedios.*

FONFRÍA
• *Casa Nuñez.*

BIDUEDO (ou Viduedo)
• *Casa Xato.*

TRIACASTELA
• *Bar Río.*

HORAIRES DES MESSES

Villes, villages, sites	Semaine	Samedi	Dimanches et fêtes
Hospital da Condesa			11h30
Padornelo			12h30
Triacastela	19 h (été), 18 h (hiv.)	19 h (été), 18 h (hiv.)	13h00, 19 h (été), 18 h (hiv.)

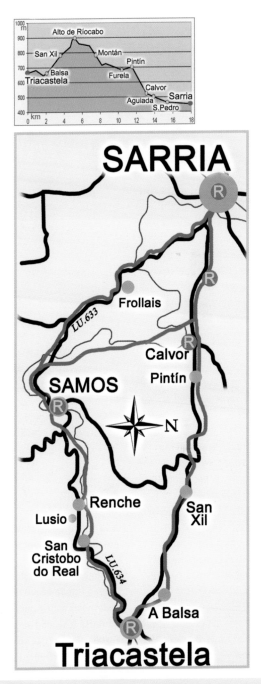

Samos

Dans cette étape, et quel que soit l'itinéraire que vous ayez choisi, vous traverserez de très nombreux petits hameaux par des chemins encaissés appelés corredoiras.
Dans ceux-ci par temps de pluie, de véritables torrents d'eau et de bouses de vache dévalent sur vos pieds.

Par la variante de San Xil (A), vous monterez fortement, en grande partie sur une petite route, jusqu'au col de Ríocabo. Redescendez sur l'autre versant par un beau chemin de corredoiras vous offrant parfois un remarquable panorama. Contrairement à ce que l'on prétend, le chemin passant par Samos (B) est magnifique et ne comporte pas plus de bitume que celui de San Xil. Légèrement plus long, il peut vous permettre, si

vous le désirez, d'assister aux offices chantés par les moines bénédictins du monastère de Samos. En outre, jusqu'à Santiago, ce sera le dernier contact avec des ecclésiastiques que vous aurez dans les refuges.
Même s'il est plus court de longer la route par la senda de Samos à Sarria, (l'alternative B' à partir de Teiguin) le chemin est vraiment très beau.

Chemin

À la sortie de Triacastela, deux possibilités s'offrent à vous :

A • Prenez sur la droite, traversez la grand-route et prenez la petite piste goudronnée puis le chemin de **Balsa** (chapelle au K.127,5). Ensuite, suivez le chemin qui remonte sur la petite route. Après une **fontaine-piscine** (150 m avant le K.126,5), et en continuant sur cette petite route, vous arrivez à **San Xil** (ou San Gil K.126). Quelques kilomètres plus loin (de montée, évidemment), passez **l'Alto de Ríocabo** (K.124,5). Là, prenez (à droite) un chemin panoramique, parfois sous de vieux chênes et châtaigniers, qui descend fortement par les villages de **Montán, Ponte Arcuda** (K.121,5), **Furela, Pintín, le refuge de Calvor** (cent mètres avant le K.116,5) **et Aguiada**.

Via San Xil

B • Prenez vers la gauche la route de Samos et suivez-la sur trois kilomètres jusqu'à l'entrée de **San Cristobo do Real**. Descendez le chemin (sur la droite) qui traverse ce ravissant village, au bord de l'eau. Franchissez le río pour attraper un beau chemin accidenté (sur la droite) qui, après avoir retraversé le río, vous laisse à **Santiago de Renche**. À sa sortie, reprenez le chemin qui remonte (après avoir passé à nouveau le río), en passant par des petits hameaux (tels que **Lastres** et **San Martín**). Retraversez encore le río et passez sous la route. Là, descendez sur **Samos**. L'imposant **monastère des bénédictins** est inratable. L'entrée du refuge se trouve le long de celui-ci, à gauche d'une station-

service. À la sortie de Samos, suivez la route, sur quelques centaines de mètres, jusqu'à **Foxos**, puis **Teiguin**. Traversez le hameau par la droite et reprenez la route sur quelques dizaines de mètres.

Là, deux possibilités s'offrent encore à vous :

B' • Suivez la route sur quelques kilomètres (par la *senda* désafectée, plus ou moins parallèle à la route), jusqu'à **Frollais** et **Sarria**.

B'' • Montez (sur la droite) par une petite route pendant quelques centaines de mètres. Suivez ensuite un chemin sur quelques kilomètres, passant par de charmants petits hameaux (dont **Pascáis**). Arrivé devant une ferme fortifiée, prenez (sur la droite) une petite route qui, bientôt, traverse un río par un beau et très vieux petit pont. Continuez cette petite route et passez par **Perros** (refuge de Calvor à proximité) et **Aguiada** (où vous rejoignez le Camino kilométré).

À **Aguiada**, suivez une *senda* parallèle à la nouvelle route passant par **San Mamede**. Bientôt, montez dans la ville de **Sarria** (K.111,5) après avoir traversé le río du même nom.

🐚 Villes, villages et sites traversés entre TRIACASTELA et SARRIA

INFORMATIONS PRATIQUES

Distances	Villes, villages, sites	Alt.	FON	REF	BAR	ALI	CAS	RES	HOT	DAB	PH	BIV
- 134,5 km	Triacastela	665	✪	✪	✪	✪	✪	✪	✪	✪	✪	✪
à 2,1 km	Chapelle A Balsa	720	✪									
à 0,9 km	Fontaine-piscine Xunta	820	✪									
à 0,6 km	San Xil	865										
à 0,3 km	Lavoir	870	✪									
à 1,3 km	Alto de Ríocabo	905										
à 1,4 km	Cabane de pierre « O Real »	865										
à 0,4 km	Grange	825										
à 0,4 km	Montán	780										
à 0,7 km	Fonte Arcuda	740										
à 2,2 km	Tulla-Furela	680			✪	✪	✪					
à 1,2 km	Pintín	635	E		✪		✪	✪	C			
à 1,4 km	Calvor (refuge)	530		✪								
à 0,6 km	Aguiada	505			✪		✪					
à 0,7 km	Pradonovo de S. Mamed	485		✪	✪		✪	✪				
à 0,5 km	San Mamede do Camiño	495										
à 2,4 km	Vigo de Sarria	430	✪	✪	✪		✪	✪	C			
à 1,0 km	Sarria	445	✪	✪	✪	✪	✪	✪	✪	✪	✪	

Alternative B entre Triacastela et Aguiada, par le Monastère de Samos

Distances	Villes, villages, sites	Alt.	FON	REF	BAR	ALI	CAS	RES	HOT	DAB	PH	BIV
- 141,3 km	Triacastela	665	✪	✪	✪	✪	✪	✪	✪	✪	✪	✪
à 3,9 km	San Cristobo do Real	590	✪		E							✪
à 1,6 km	Santiago de Renche do Real	600	E		✪	✪	✪					✪
à 0,5 km	Lastres	580										
à 1,1 km	Freituxe	585										✪
à 1,2 km	San Martiño do Real	560										
à 1,8 km	SAMOS	550	✪	✪	✪	✪	✪	✪	✪			
à 2,1 km	Teiguin	525	✪		E							
à 1,1 km	Pascais	585										
à 0,7 km	Santa Eulalia de Pascais	565										
à 1,1 km	Gorofle	505										
à 1,7 km	A Veiga de Reiriz	490										
à 1,5 km	Ferme de Sivil	500										
à 1,7 km	Perros-Calvor	485		E								
à 0,4 km	Aguiada	500			✪		✪					
à 0,7 km	Pradonovo de S. Mamed	485		✪	✪		✪	✪				
à 0,5 km	San Mamede do Camiño	495										
à 2,4 km	Vigo de Sarria	430	✪	✪	✪		✪	✪	C			
à 1 km	Sarria	445	✪	✪	✪	✪	✪	✪	✪	✪	✪	

Variante par Lusío

Distances	Villes, villages, sites	Alt.	FON	REF	BAR	ALI	CAS	RES	HOT	DAB	PH	BIV
-	San Cristobo do Real	590	✪		E							✪
à 0,8 km	Lusío	600										
à 0,9 km	Renche	600	E		✪	✪	✪					✪

REFUGES

SAMOS
• Dans l'enceinte même du monastère. L'entrée se trouve à gauche d'une intrigante station-service. Refuge géré par les bénédictins. Généralement, ceux-ci permettent aux pèlerins de suivre certains offices. 106 places. Tél. : 982 54 60 46. ✝
• Refuge privé « A Cova do Frade ». 14 places. Tél. : 982 54 60 87. 8 €.
• Refuge privé. « Val de Samos ». 48 places. Tél. : 982 54 61 63 et 609 63 88 01. 11 €.

CALVOR
• Au bord de la petite route, à gauche, perdu au milieu de rien. Petit refuge blanc de la Xunta de Galicia, aménagé dans d'anciennes écoles d'allure cubique. Cuisine. 22 places. Tél. : 982 53 12 66. ✝

PRADONOVO DE SAN MAMEDE
• Refuge privé « Paloma y Leña ». 20 places. Tél. : 982 53 32 48 et 658 90 68 16. 9 €.

SARRIA
• En montant dans la ville, sur la droite. Refuge de la Xunta de Galicia. Architecture amusante. Cuisine étonnante le long de la roche. 40 places. Tél. : 660 39 68 13 et 982 53 50 00 (mairie).
• Refuge privé « A Pedra », 15 places. Tél. : 982 53 01 30.
• « Don Alvaro », 32 places, cuisine, 9 €. Tél. : 982 59 15 92.
• « O Durmiñento ».
Tél. : 982 53 10 99. 10 €.
• « Los Blasones ». 40 places. Cuisine. Tél. : 600 51 25 65. 7 €.
• « Internacional ». 43 places. Tél. : 982 53 51 09.
• « Oito Maravedis ». 19 places. Tél. : 629 46 17 70. 8 €.

À VOIR ET À SAVOIR

SAMOS
• **Monasterio benedictino de San Julián** (ou San Xulián) **de Samos :** monastère fondé au vie siècle. Les édifices actuels ne remontent qu'aux xvie, xviie, xviiie et xxe siècles (suite à un terrible incendie dévastateur).
• **Ermita del San Salvador :** chapelle mozarabe du ixe siècle.

SARRIA

• **Conviento de la Magdalena** (des XIIIᵉ et XIXᵉ siècles).
• **Iglesia du Salvador** (romane des XIᵉ et XIVᵉ siècles).

OÙ MANGER CONVENABLEMENT ?

SAMOS

• Restaurant *Gallo*.
• *A Veiga*.

HORAIRES DES MESSES

Villes, villages, sites	Semaine	Samedi	Dimanches et fêtes
Renche			12h00
Samos	Nombreux offices	Nombreux offices	Nombreux offices
Sarria	Nombreux offices	Nombreux offices	Nombreux offices

DE **Sarria**
À **Portomarín**

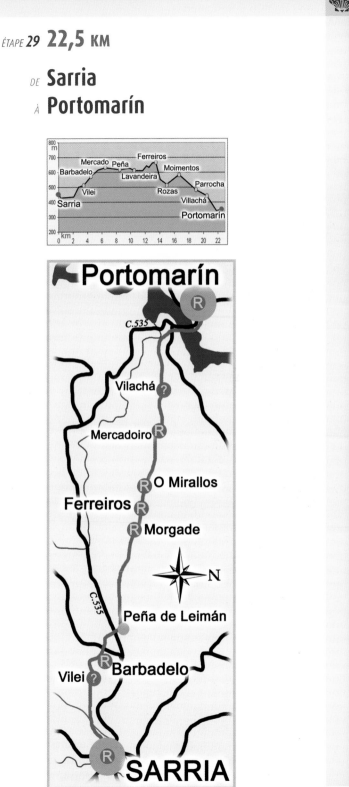

Portomarín

Belle étape qui monte,
pour mieux redescendre
sur Portomarín et son
impressionnante retenue d'eau.
Vous apercevrez aussi ces fameux
horreos gallegos : petites niches
surélevées, ressemblant parfois
à des petites chapelles, protégeant
ainsi grains, céréales et denrées,
de l'assaut des rongeurs.

Vous traverserez également
de mystérieux villages
avec des maisons de pierre
ornées de fenêtres ressemblant
à des meurtrières (tels Parrocha
et Vilachá).

Chemin

Traversez Sarria pour en ressortir par le haut, vers le **couvent de la Magdalena de los Mercedarios**. Là, descendez en longeant le cimetière. Arrivé en bas, tirez à droite jusqu'au vieux pont qui traverse le río Celeiro. Passez devant la croix d'un pèlerinage des « Missionnaires Identes » et continuez le Chemin jusqu'à la voie ferrée. Tournez à gauche et montez fortement dans un bois de châtaigniers et de chênes multi-centenaires. Traversez **Vilei** et continuez à grimper par une petite route, jusqu'à **Barbadelo**. Montez toujours, en laissant l'église Santiago de Barbadelo sur votre gauche puis le refuge sur votre droite. Insistez sur cette petite route jusqu'à **Rente**. Prenez ensuite un chemin qui traverse **Mercado**, passe sous une route et descend. Bientôt, vous arrivez devant une sorte de **piscine de pèlerins** (au K.105), reconnaissable à la mascotte utilisée par la Xunta de Galicia, lors des années jubilaires, depuis 1993 (« Mickey au pays des pèlerins » ?). Après avoir traversé **Mouzos** et la route C.535, viennent les hameaux de **Peña de Leimán, Peruscallo,**

Cortiñas (K.102), **Lavandeira** (K.101,5), **Casal, Brea, Morgade** (K.99,5). Vous passez devant une **petite chapelle** récemment aménagée et restaurée par un atelier-école de Sarria, dans laquelle les pèlerins ont pris coutume de laisser des intentions de prières, des messages personnels, ainsi que divers petits objets. Peu après, descendez puis montez jusqu'à **Ferreiros**. Descendez sur **O Mirallos** et continuez en suivant une petite route qui passe par **Pena** et **Couto-Rozas** (K.97). Peu après, prenez sur la droite, un chemin qui monte, pour ensuite descendre sur **Moimentos**, où vous traversez la route.

Suivez alors une petite route sur la droite puis, à hauteur d'une croix (K.95), prenez un chemin (sur la gauche) qui traverse les hameaux de **Cortarelo, Mercadoiro et Moutras**.

Continuez ensuite par une petite route qui monte et redescend jusqu'au K.93,5. Là, suivez un chemin qui persiste à descendre sur **Parrocha** (K.93). Suivez ensuite la route jusqu'au K.92,5, pour prendre le chemin (sur la droite) qui mène à **Vilachá** (K.91,5). Sortez par une petite route et, vers le K.91, tournez sur une autre petite route à droite. Plus loin, croisez une autre route et descendez très fortement jusqu'à **San Pedro** (K.90). Là, prenez le **haut pont qui traverse le barrage de Belesar**. En vous penchant prudemment, vous pouvez (si le niveau d'eau est suffisamment bas) apercevoir les vestiges du vieux Portomarín, englouti par la retenue d'eau: le spectacle est impressionnant. De l'autre coté, vous devez monter vers la droite si vous voulez visiter ou dormir à **Portomarín**. Si vous souhaitez poursuivre impassiblement, prenez la petite passerelle sur votre gauche.

Portomarín

🐚 Villes, villages et sites traversés entre SARRIA et PORTOMARÍN

INFORMATIONS PRATIQUES

Distances	Villes, villages, sites	Alt.	FON	REF	BAR	ALI	CAS	RES	HOT	DAB	PH	BIV
– 116,4 km	Sarria	445	✿	✿	✿	✿	✿	✿	✿	✿	✿	✿
à 3,6 km	Vilei	520	✿	✿								✿
à 0,7 km	Barbadelo	550	E	✿	E	E		E	E	E		✿
à 1 km	Rente	600	✿					✿	C			✿
à 0,8 km	Mercado da Serra	630	✿		✿	✿	✿	E				
à 2 km	Peña de Leimán	615			✿			✿	✿			
à 1,1 km	Peruscallo	640	✿									✿
à 0,8 km	Cortiñas	645	E									
à 0,5 km	Lavandeira	610										
à 0,3 km	Casal	610										
à 1 km	Brea	670	E						✿			
à 0,6 km	Morgade	655	✿	✿	✿		✿		C			✿
à 1,3 km	Ferreiros	665	✿	✿	✿		✿					✿
à 0,3 km	O Mirallos	640		✿	✿		✿	✿				
à 0,5 km	Pena	660	✿	?								
à 0,5 km	Rozas	645	✿									
à 1,6 km	Moimentos	590										
à 0,4 km	Cortarelo	560										✿
à 0,2 km	Mercadoiro	550	E	✿	✿		✿	✿	C			
à 0,2 km	Montrás	540										
à 1,6 km	Parrocha	495										
à 1,3 km	Vilachá	430	E	?	?							
à 1,3 km	San Pedro (avant le pont)	360										
à 0,9 km	Portomarín	350	✿	✿	✿	✿	✿	✿	✿	✿	✿	✿

REFUGES

VILEI
• Projet de refuge privé pour 2010, face aux machines automatiques. (km 108). Rens. 689 07 56 38. (Daniel).

BARBADELO
• À la sortie du village. Habituel petit refuge blanc de la Xunta de Galicia, aménagé dans d'anciennes écoles d'allure cubique. Cuisine. 18 places. Tél. : 982 53 04 12. 5 €.
• Refuge privé de 12 places. Tél. : 982 53 22 94 et 606 15 67 05.
• Refuge privé « O Pombal ». 8 places. Tél. : 686 71 87 32. 10 €.

MORGADE
• À la sortie du hameau. Dans le petit bar, « Casa Morgade » à gauche, juste avant la fontaine. Petit refuge privé agréable de 6 places + chambres. Tél. : 982 53 12 50. 8 €.

FERREIROS
• À la sortie du village, face à une chênaie. Petit refuge blanc de la Xunta de Galicia. Cuisine. 22 places. Tél. : 982 54 11 92. 5 €.

Barbadelo : refuge de la Xunta de Galicia

O MIRALLOS
• Maison d'accueil (privé). Voir au bar. Tél.: 639 01 06 96/982 15 71 62.

MERCADOIRO
• Auberge privée ouverte en 2008 par deux Valenciens. 36 places. Ouvert du 1er mars au 15 novembre. Tél.: 600 03 08 52. 7/9 €.

VILACHÁ
• Projet d'une petite auberge privée « Casa banderas » chez Gordon le Sud-africain. Renseignements: 607 43 12 77. www. casabandera.com.
• Pena (éventuel accueil). lacancera@gmail.com.

PORTOMARÍN
• Grand refuge de la Xunta de Galicia. Cuisine. 110 places. Tél.: 982 54 53 23.
• Refuge privé « Ferramenteiros » 120 places. Tél.: 982 54 53 62.
• Refuge privé « Porto Santiago », 14 places. Tél.: 618 826 515.
• Refuge privé « O Mirador » Tél.: 982 545 323.
• Refuge privé « El Caminante » 34 places. Tél.: 982 545 176.
• Refuge privé « Manuel ». 8 places. 10 €. Tél.: 679 75 47 18.

À VOIR ET À SAVOIR

BARBADELO
• **Iglesia Santiago** (à côté du refuge): cette magnifique église du IXe siècle a été remaniée par les Templiers. Restaurée pour 1999. Elle vaut largement le coup d'œil !

PORTOMARÍN
• En 1962, une retenue d'eau a complètement englouti ce village. Peu avant, grâce à des travaux colossaux, les plus beaux édifices ont été démantelés puis remontés, pierre par pierre, dans le nouveau Portomarín. Sur certains de ces bâtiments (notamment sur l'église San Nicolás), on peut encore voir les numérotations ayant servi à la réalisation de ce puzzle monumental.
• **Ermita Nuestra Señora de las Nieves:** juchée face au pont, au sommet d'un escalier.
• **Iglesia-fortaleza San Nicolás – San Juan:** construite au XIIIe siècle par les chevaliers de Saint-Jean de Jérusalem (actuel ordre de Malte).
• **Iglesia San Pedro** (en partie du XIIe siècle).

OÙ MANGER CONVENABLEMENT ?

BARBADELO
• *A casa de Carmen*

FERREIROS
• Restaurante *O Mirallos*.

PORTOMARÍN
• *Casa Pérez* (près de la Guardia Civil).

HORAIRES DES MESSES

Villes, villages, sites	Semaine	Samedi	Dimanches et fêtes
Sarria	Nombreux offices	Nombreux offices	Nombreux offices
Portomarín	19h30, 20h00	20h00	12h30
Barbadelo	19 h	19 h	19 h

DE **Portomarín**
À **Palas do Rei**

*Montée parfois assez rude,
sur plus de douze kilomètres :
de la sortie de Portomarín
jusqu'à la Sierra de Ligonde,
après Ventas de Narón.
Ensuite, la descente se fait sans
problème, jusqu'à Palas do Rei.
Les paysages sont variés
et typiques de la Galice.*

*Pour vous rendre à Vilar (ou Villar)
de Donas, prenez à droite à Portos.
Traversez la N.547 à Ferradal et
continuez par la petite route en
face jusqu'à Vilar. Revenez sur vos
pas jusqu'à Ferradal et suivez,
à droite, la N.547 jusqu'à A Brea.*

Portomarín

🐚 Chemin

Pour sortir de Portomarín, traversez un bras de la retenue par
une **petite passerelle**. Sur l'autre
rive, à droite, prenez un chemin
boisé qui monte très fortement,
jusqu'au K.88. Bientôt, vous
passez un croisement pour suivre
la route LU.633. Traversez-la prudemment devant une briqueterie
industrielle et prenez (de l'autre
côté) une *senda de peregrinos*
parallèle à la grand-route. Retraversez cette route et le hameau
de **Toxibó** (avec un magnifique
horreo). Continuer ensuite par
un beau chemin entre les pins.
Peu après une aire de repos, à
l'ombre de magnifiques chênes,
vous passez devant le refuge de
Gonzar (K.82). Immédiatement
après, prenez à gauche par une
route sur quelques mètres puis un
chemin à droite. Au K.81, prenez
la route sur la gauche et traversez
Castromaior. La petite route

monte sévèrement pour rejoindre
la LU.633 (au K.80) que vous
suivez par un chemin parallèle à
celle-ci (sur la gauche). Ensuite,
traversez et prenez le même
chemin, en face. Franchissez de
nouveau la route pour suivre un
chemin qui mène à **Hospital da
Cruz**. À sa sortie, passez devant le
refuge appelé **Ventas de Narón** et
traversez la nationale (au bord de
laquelle ce refuge est situé). En
face, prenez une route que vous
quittez immédiatement pour une
autre qui monte sur votre gauche.
Bientôt, vous passez dans le
hameau de **Ventas de Narón**
(K.77). Continuez par la même
petite route en montant fermement jusqu'au K.76,5. Poursuivez
en descendant sur **Prevista** (K.75)
et **Lameiros** (K.74,5). Bientôt,
vous passez devant un très beau
calvaire de granit (comparable à
ceux rencontrés en Bretagne) et
vous arrivez à **Ligonde** (K.74). À sa
sortie, descendez puis remontez

sur **Eirexe de Ligonde** (K.73). Continuez cette petite route, en passant par un lavoir puis à un carrefour, prenez en face et descendez sur **Portos** (K.71), **A Calzada de Lestedo, Lestedo, Falsa, Valos** (K.69,5) et **Brea.** Là, vous apercevez les premiers eucalyptus qui vous accompagneront jusqu'à Santiago. Prenez (sur la gauche) un chemin parallèle à la N.547. Après être passé par **Rosario** (K.67), **Chacotes**, le campement

d'été des pèlerins (K.66,5) et un centre sportif, vous entrez à **Palas do Rei** (K.65).

Lameiros

🐚 Villes, villages et sites traversés entre PORTOMARÍN et PALAS DO REI

INFORMATIONS PRATIQUES

Distances	Villes, villages, sites	Alt.	FON	REF	BAR	ALI	CAS	RES	HOT	DAB	PH	BIV
- 93,9 km	Portomarín	350	✪	✪	✪	✪	✪	✪	✪	✪	✪	
A 3,1 km	Cortapezas	450										✪
à 1,7 km	Toxibó	510										
à 3,2 km	Gonzar	555	✪	✪			✪		C			
à 1,2 km	Castromaior	600		✪			✪		C			✪
à 2,4 km	Hospital da Cruz	680	✪	✪			✪	✪	C			
à 1,7 km	Ventas de Narón	705	✪	✪	✪		✪	✪	C			
à 0,7 km	Alto Sierra Ligonde	755										
à 1,3 km	Previsa	680										
à 0,8 km	Lameiros	650										
à 1,3 km	Ligonde	600		✪	é		é					✪
à 0,5 km	Airexe (ref. Ligonde)	620	✪	✪	✪	?	✪	✪	C			
à 2,1 km	Portos	590										
à 0,2 km	A Calzada de Lestedo	595		✪	✪		✪					
à 0,7 km	Lestedo	615					?	✪	C			
à 0,3 km	A Falsa dos Valos	625										✪
à 0,3 km	Os Valos	635										
à 1,2 km	A Brea	625		✪			✪	✪				✪
à 1,3 km	O Rosario	630		é	é							
à 0,5 km	Os Chacotes	610	✪	✪	✪		✪	✪	C			
à 1,3 km	Palas do Rei	560	✪	✪	✪	✪	✪	✪	✪	✪	✪	

Alternative entre Portos et A Brea par Villar de Donas

Distances	Villes, villages, sites	Alt.	FON	REF	BAR	ALI	CAS	RES	HOT	DAB	PH	BIV
—	Portos	590										
à 0,9 km	Ferradal	580										
à 1,3 km	Vilar de Donas	615	✪									✪
à 1,3 km	Ferradal (retour)	580										
à 2,2 km	A Brea (par la route)	625		✪			✪	✪				✪

REFUGES

GONZAR

• Au bord de la route, à gauche, après le bar. Habituel petit refuge blanc de la Xunta de Galicia, aménagé dans d'anciennes écoles d'allure cubique. Cuisine. 20 places. Tél.: 982 15 78 40.

• Refuge privé «Casa Garcia» ouvert en 2007 dans le village près de l'église. Ouvert toute l'année. 26 places, 9 €. Tél.: 982 15 78 42.

• Projet pour 2010/2011 d'un refuge privé «Descanso del peregrino» de 18 places près du refuge de la Xunta. Tél.: 982 15 78 40.

HOSPITAL DA CRUZ
(dit Ventas de Narón)

• À la sortie du hameau d'Hospital da Cruz, à gauche, juste avant de franchir la quatre-voies et au bord de celle-ci. Habituel petit refuge de la Xunta. Cuisine. 22 places. Tél.: 982 54 52 32/36 71 83.

VENTAS DE NARÓN

• Refuge privé «Casa Molar» ouvert en 2005. 18 places. 7 Chambres claires. Tél.: 696 79 45 07/ 982 15 78 84. 9 €.

• Refuge privé «O Cruceiro» ouvert en 2005. 22 places. Tél.: 658 06 49 17. 9 €. Ouvert toute l'année.

LIGONDE

• Refuge municipal de Ligonde-Monteroso. 20 places. Cuisine. Tél.: 679 81 60 61.

• Accueil évangéliste «Fuente del Peregrino». Seulement l'été. 10 places. Tél.: 982 18 37 52.

AIREXE (DE LIGONDE)

• Dans le hameau d'Eirexe (ou Airexe), à droite du Camino. Habi-

Fuente de Ligonde

tuel petit refuge blanc de la Xunta de Galicia, aménagé dans d'anciennes écoles d'allure cubique. Cuisine. 18 places. Tél.: 660 39 68 19.

A CALZADA DE LESTEDO

• Petit refuge privé derrière le bar, orné de multiples symboles jacquaires. 10 places. Tél.: 982 18 37 44 et 982 32 00 42. 10 €.

PALAS DO REI

• Au centre-ville, face à la mairie *(ayuntamiento)*. Assez grand refuge de la Xunta de Galicia. Cuisine. 60 places. Tél.: 982 38 00 90.
• Refuge privé « Buen Camino ». 40 places. Tél.: 639 88 22 29. 9 €.

À VOIR ET À SAVOIR

LAMEIROS

• **Calvaire de pierre** (au pied d'un magnifique chêne): sur une face y est sculpté un Christ en Croix avec, au pied, les outils de la Crucifixion. De l'autre, une Vierge à l'Enfant avec, au pied, une « tête de mort ». D'autres inscriptions et symboles aussi compliqués ou illisibles qu'hermétiques y sont également représentés.

VILLAR (ou VILAR) DE DONAS

• Remarquable édifice roman du xiie et xiiie siècle, richement peint et orné de reliefs et de tombes.

Nombreux furent les chevaliers de l'ordre de Santiago à y être enterrés.

PALAS DO REI (ou Palas del Rey)

• **Iglesia San Tirso** (en partie romane et même préromane du ixe siècle).

PERSONNAGES DU CAMINO

• María Paz (de Airexe-Ligonde) Sympathique femme très pieuse, elle accueille chaleureusement les pèlerins dans un petit refuge de la Xunta de Galicia. En outre, si vous voulez visiter l'église, c'est elle qui détient les clefs.

Villar de Donas

HORAIRES DES MESSES

Villes, villages, sites	Semaine	Samedi	Dimanches et fêtes
Calvor			13 h 30
Airexe-Ligonde	Jeudi et vendredi 19 h 00, 20 h 00		12 h 00
Lestedo			12 h 00
Palas do Rei	9 h 00, 20 h 00	20 h 00	12 h 30, 20 h 00

DE **Palas do Rei**
À **Ribadiso de Baixo**

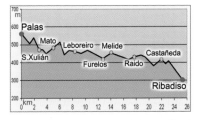

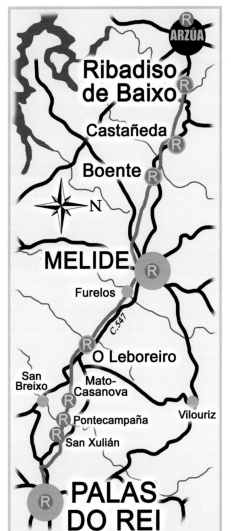

Horreos gallegos

Étape agréable...
si le temps s'y prête !

À Coto, vous quittez
la Province de Lugo,
pour celle de La Coruña
(toujours en Galice).
Vous parcourrez cette dernière
province, jusqu'à Santiago.

Chemin

En sortant du refuge de Palas do Rei, descendez en face pour suivre la route, devant la Guardia Civil. Le chemin tortille pour éviter la route jusqu'à **Carballal** (K.64). À la sortie du village, traversez la route et continuez par un chemin qui descend vers le gué de Alagua (K.63). À quelques mètres sur la droite, un chemin descend (en face) sur **San Xulián**, que vous traversez. Par une *correidoira*, vous arrivez à **Pallota** puis, descendez, traversez le río et arrivez à **Pontecampaña** (K.61). Bientôt, en montant, passez devant une mystérieuse pierre scuptée et entrez dans **Mato-Casanova** (K.60) par un chemin. Sortez-en par une petite route et, à quelques centaines de mètres (au K.59,5), prenez un chemin (sur votre gauche) qui descend pour traverser le río Villar et remonte sur **Campanilla**. À la sortie du hameau, continuez sur quelques centaines de mètres, (par une petite route) jusqu'à **Coto** (K.57,5). Là, suivez une petite route sur la gauche, sur quelques dizaines de mètres, avant d'emprunter un chemin qui descend sur la droite. Vous passez bientôt à gauche d'un refuge et entrez dans **Leboreiro**. Suivez alors le Chemin, traversez le río Seco à **Disicabo** (K.56) avant le **Bosque de los peregrinos**. Descendez entre les eucalyptus et franchissez le río Furelos par un vieux pont (K.52,5). Ainsi, vous arrivez à **Furelos**. Continuez encore, et bientôt, entrez dans **Melide** (ou Mellid). Traversez la ville par la place principale, la *calle San Pedro* et passez devant le refuge. Continuez par un chemin, en longeant le cimetière et une fontaine. Celui-ci remonte bientôt sur **Santa María** (K.50). Peu après, traversez le río Lázaro et, après **Carballal**, franchissez le río Barreiros, par un gué admirable (attention à vélo!), au beau milieu d'une forêt d'eucalyptus. Remontez puis passez **Raido** (K.47,4) et **Parabispo** (K.46,8). Ensuite, descendez pour traverser un ruisseau et une *parada* (au K.46). Continuez et passez par **Peroxa** (K.45,5), **Boente de Riba et Boente de Baixo**. Traversez une petite route puis, un peu plus loin, descendez pour passer sous la C.547. Vous arrivez ensuite devant une *parada*, une fontaine et une sorte de **piscine de pèlerins** (K.44). Remontez de l'autre côté et, par une petite route, passez **Castañeda** (K.43) et **Pedrido**. Descendez pour franchir un autre río et remontez fortement. Redescendez et, après avoir traversé une passerelle sur la C.547, vous arrivez bientôt à **Ribadiso**.

❧ Villes, villages et sites traversés entre PALAS DO REI et RIBADISO DE BAIXO

INFORMATIONS PRATIQUES

Distances	Villes, villages, sites	Alt.	FON	REF	BAR	ALI	CAS	RES	HOT	DAB	PH	BIV
- 68,1 km	Palas do Rei	560	✪	✪	✪	✪	✪	✪	✪	✪	✪	
à 1,4 km	Ponte Roxán	510			✪		✪	✪				
à 0,4 km	Carballal	530	✪									
à 1,9 km	San Xulián do Camiño	470	✪	✪	✪							✪
à 0,4 km	A Pallota da Graña	465										✪
à 0,6 km	Pontecampaña	420		✪	✪		✪					
à 1,2 km	Mato-Casanova	480		✪			?					
à 1,9 k	Campanilla-Cornixa	460										
à 0,8 km	O Coto	480	✪		✪	✪	✪	✪				
à 0,7 km	O Leboreiro	460	✪	?								✪
à 0,4 km	Disicabo	440										
à 0,9 km	Bosque de los peregrinos	455	✪									✪
à 1,9 km	Furelos	415			✪	✪	✪					
à 1,7 km	Melide	460	✪	✪	✪	✪	✪	✪	✪	✪		
à 1 km	Santa Maria	430	✪		✪		✪	✪				
à 0,5 km	Carballal	410										
à 2 km	Raido	430										
à 0,6 km	Parabispo	460										
à 1,6 km	Boente de Riba	415	✪									✪
à 0,4 km	Boente de Baixo	400	✪	✪	✪		✪	✪				
à 2,2 km	Castañeda	415		✪	✪	E	✪	✪				
à 0,4 km	Pedrido	405										
à 0,3 km	Rio	385										
à 2,3 km	Ribadiso de Baixo	315		✪	✪		✪					

REFUGES

SAN XULIÁN DO CAMIÑO
• Un refuge privé «O Abrigadoiro», dans l'enceinte même du bar, ouvert début 2004. 18 places. Tél.: 982 37 41 17 et 676 59 69 75. 10 €.

PONTECAMPAÑA
• Refuge privé «Casa Domingo», typique de la Galice (avec un *horreo*) dans une maison familiale. Cadre rustique. 14 places. Tél.: 630 72 88 64 et 982 16 32 26. 9 €.

MATO - CASANOVA
• Habituel petit refuge blanc de la Xunta de Galicia, aménagé dans d'anciennes écoles d'allure cubique. Cuisine. 20 places. Tél.: 982 17 34 83.

O LEBOREIRO
• À droite du Camino. Dans une maison un peu délaissée, près de la route. Refuge rudimentaire.

MELIDE
• Vers la sortie de cette petite ville. Assez grand refuge de la Xunta de Galicia. Cuisine. 130 places. Tél.: 981 50 62 66. 5 €.

BOENTE
• Refuge privé «Os Albergues» joint au restaurant «Mesón». 30 places. 8 €. (fermé l'hiver). Tél.: 981 50 18 59.

CASTAÑEDA
• Petit refuge café-bar privé, ouvert toute l'année. 6 places. 8 €. Tél.: 699 76 16 98.

RIBADISO DE BAIXO
• Juste après avoir traversé la rivière, sur la droite. Très agréable refuge de la Xunta de Galicia aménagé dans un antique hôpital. Cer-tainement un des plus originaux refuges de la Xunta. Cuisine avec minuterie. 62 places.

À VOIR ET À SAVOIR

SAN XULIÁN DO CAMIÑO
• **Église romane** (du XIIe siècle).

FURELOS
• **Pont roman**.
• **Iglesia San Juan** (en partie du XIIe siècle), qui renferme un étrange Christ en Croix (du XXe siècle) dont l'un des bras est ballant.

MELIDE (ou Mellid)
• **Iglesia San Pedro**, avec son portail roman.
• **Calvaire sculpté** (du XIVe siècle).
• **Iglesia Santa María de Melide** (du XIIIe siècle).

SANTA MARÍA
• **Ermita Nuestra Señora de Capela** (du XIe siècle).

CASTAÑEDA
• Jadis, les pèlerins déposaient là des pierres à chaux qu'ils avaient portées depuis Triacastela. Cette chaux était cuite ici et destinée à la construction de la cathédrale de Santiago.

RIBADISO DE BAIXO
• **Hospital San Antón:** ancien hôpital de pèlerins restauré et admirablement aménagé en refuge contemporain.

Ribadiso de Baixo

PERSONNAGES DU CAMINO

À la *Pulpería Ezequiel* existe une véritable légende vivante de la Galice : la *Pulpera*. Elle est connue pour préparer «le meilleur *pulpo gallego* du monde» (poulpe galicien, richement accommodé de sel, d'huile d'olive et de piment). À déguster avec le *Ribeiro de la Casa*; avec modération...

OÙ MANGER CONVENABLEMENT ?

MELIDE
• *Pulpería Ezequiel.*
• *Bar Sony.*

Furelos

HORAIRES DES MESSES

Villes, villages, sites	Semaine	Samedi	Dimanches et fêtes
Furelos	21h30		10h00, 17h30
Melide	Nombreux offices	Nombreux offices	Nombreux offices
Boente de Baixo			12h15
Castañeda			12h00

Melide

DE **Ribadiso de Baixo**
À **Arca O Pino, Pedrouzo**

Étape peu difficile.
Déjà, vous devez sentir la pression
que provoque l'approche
du Tombeau de l'Apôtre.
Demain, c'est votre dernière
étape. La tension est sûrement
forte ! Peut-être avez-vous déjà
vu, ce matin, certains pèlerins
partir directement pour Santiago.
Ce soir, vous vous endormirez
certainement avec le sourire
et le cœur battant.

Chemin

En sortant du refuge, prenez
(sur la droite) la petite route qui
monte et qui vous pose sur la
C.547. Franchissez-la et, peu à
peu, entrez dans les faubourgs
d'**Arzúa** (K.37). Traversez la petite
ville par la *plaza de España* et
ressortez-en en descendant vers
la gauche. Bientôt rejoignez un
chemin qui descend vers une
rivière. Traversez-la et remontez
jusqu'à une stèle mortuaire, à
l'entrée de **As Barrosas** (K.36).
À partir de là, les bornes kilomé-
triques disparaissent momentané-
ment. En montant et descendant

sans cesse, franchissez deux ríos
à **Raido**, traversez **Preguntoño** et
passez sous la nationale. Après
être passé à **Peroxa** et traversé
un río, les bornes réapparais-
sent (K.33). Passez une petite
route (K.32,5) et arrivent bientôt
Taberna Vella (K.32) puis **Calzada**
(K.31,1). Poursuivez par **Calle** et
prenez un chemin sur la gauche
(au K.28). Traversez ainsi **Boavista**
(K.27,8) et un joli hameau fleuri
Alto (K.27), et rejoignez la C.547
à **Salceda** (K.26). Là, prendre un
chemin qui monte sur la droite
jusqu'à une autre stèle mortuaire.
Retrouvez ensuite la grand-route
et traversez-la peu après. En face,
prenez un chemin qui frôle **Xen,
Ras**, pour retraverser la C.547
et passer **Brea** (K.23,5). Après
Rabiña et la *parada*, suivez tout
droit la C.547, jusqu'à **l'Alto de
Santa Irene – O Pino**.
**Là, deux possibilités s'offrent à
vous :**
A · Tournez à droite après le bar
« O Empalme » puis à gauche (le
long des eucalyptus).
B · Plutôt que de traverser la nationale (sans visibilité), continuez sur
le côté gauche et descendez la

petite route jusqu'au hameau de **Santa Irene**. Il s'agit d'ailleurs du tracé historique. Sur votre gauche, se trouve un petit refuge privé et, juste après, le refuge de Santa Irene (en face, de l'autre côté de la C.547). Prenez ensuite un chemin (à droite) qui coupe une courbe de la grand-route. Traversez à nouveau la C.547 et, presque en face, prenez une piste goudronnée, après une scierie, qui descend sur **Rúa**. Continuez par une petite route qui vous laisse à **O Burgo**, sur la C.547. Pour aller au refuge de **Pedrouzo-Arca O Pino**, suivez cette grand-route (vers la gauche) durant quelques petites centaines de mètres. Sinon, continuez en face, sous les eucalyptus.

Sous les eucalyptus

Villes, villages et sites traversés entre RIBADISO DE BAIXO et PEDROUZO, ARCA O PINO

INFORMATIONS PRATIQUES

Distances	Villes, villages, sites	Alt.	FON	REF	BAR	ALI	CAS	RES	HOT	DAB	PH	BIV
- 42,6 km	Ribadiso de Baixo	315		○	○		○	○				
à 0,9 km	Ribadiso de Riba	355										
à 2,3 km	Arzúa	390	○	○	○	○	○	○	○	○	○	
à 0,9 km	As Barrosas	345										
à 1,2 km	Preguntoño	330										
à 0,5 km	Cortobe	365										
à 0,6 km	Peroxa	385										○
à 1,6 km	Taberna Vella	410										
à 0,7 km	A Calzada	390										
à 1,8 km	A Calle	360	○		○		○		?			
à 1,4 km	Boavista	380										
à 2,0 km	Salceda	365			○	○	○	E				
à 1,1 km	Xen	400										
à 0,7 km	Ras	380			E	E	E					
à 0,5 km	Brea	380			E	E						
à 0,5 km	Rabiña	370										
à 0,7 km	Parada	385										
à 0,6 km	Alto de Santa Irene	415			○	○	○	○				
à 0,8 km	Santa Irene	380		○								○
à 0,4 km	Santa Irene (refuge)	365		○								○
à 1,4 km	Rúa	385	○		○		○	○	○			○
à 0,6 km	O Burgo	270										
à 0,8 km	Pedrouzo, Arca-O Pino	300		○	○	○	○	○		○		○

REFUGES

ARZÚA

• Refuge de la municipalité et de la Xunta de Galicia. Cuisine capricieuse. 46 places. Tél. : 660 39 68 24.
• Refuge privé « Don Quijote », 50 places. Tél. : 981 50 01 39.
• Refuge privé « Via Lactea ». 60 places. Tél. : 981 58 05 81/ 616 75 94 47. 10 €.
• Refuge privé « Santiago Apostol », 84 places. Tél. : 981 50 81 32/ 660 42 77 71. Cuisine.
• Refuge privé « Da Fonte », 24 places. Tél. : 659 99 94 96. 10 €.
• Refuge privé « Ultreia ». 38 places. Tél. : 626 63 94 50. 8/10 €.

SANTA IRENE

• Au bord de la route, à droite. Dernier petit refuge typique blanc de la Xunta de Galicia, aménagé dans d'anciennes écoles d'allure cubique. 30 places. Cuisine. 5 €.
• Refuge privé « Santa Irene » de 15 places, tenu par Ester Calvo. Tél. : 981 51 10 00.

PEDROUZO-ARCA

• À l'entrée de Pedrouzo, au bord de la route, à droite, juste avant le *supermercado*. Grand et sympathique refuge de la Xunta de Galicia dans un important bâtiment sur pilotis. Cuisine. 80 places. 5 €. Tél. : 660 39 68 26.

• Refuge privé « Porta de Santiago », 60 places. Tél. : 981 51 11 03/ 607 83 5354.
• Refuge privé « Edreira ». 56 places. Tél. : 981 51 13 65/660 23 49 95. 12 €.
• Refuge privé « O Burgo ». Tél. : 630 40 41 38.

À VOIR ET À SAVOIR

ARZÚA

• **Vestiges du couvent Sainte-Madeleine** (du xive siècle).
• **Ermita de Santiago**, chapelle romane.

PERSONNAGES DU CAMINO

• María Obdulia (de Pedrouzo, Arca-O Pino)
Hospitalera très sympathique et chaleureuse. Elle fait son possible pour détendre l'atmosphère et nous laisser un maximum de liberté.

OÙ MANGER CONVENABLEMENT ?

ARZÚA

• *Os Casqueiros*.

HORAIRES DES MESSES

Villes, villages, sites	Semaine	Samedi	Dimanches et fêtes
Arzua	8 h 30, 20 h 30 (en hiver)	Idem	10 h 30, 12 h 30, 20 h 30
A Calle	20 h 00	Idem	9 h 00, 12 h 00
Salceda	21 h 00, 20 h 00 (hiver)	Idem	12 h 00
Pedrouzo-Arca O Pino	09 h 00	20 h 00	11 h 30

DE **Arca O Pino, Pedrouzo**
À **Santiago de Compostela**

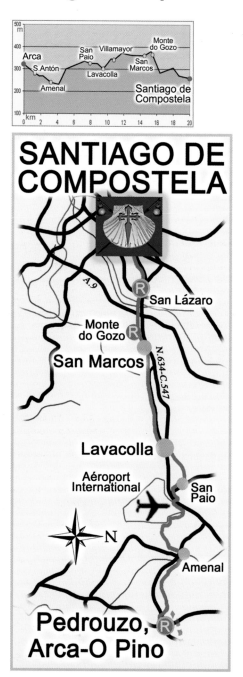

Cathédrale de Compostelle

Une erreur sur les bornes de kilométrage vous sera dévoilée au carrefour du Lugar Santiso (K.12). Dernière étape ! Savourez bien les derniers kilomètres de ce Camino, sur lequel vous avez marché si longtemps. Sur le sanctuaire de l'Apôtre, ayez une pensée pour tous ceux qui peinent ainsi que tous ces pèlerins qui ont souffert et que vous avez vu abandonner leur pèlerinage en route. En espérant que ce guide vous aura apporté quelques éléments, j'espère que le pèlerinage donnera une autre dimension à votre vie, en repartant sur des bases saines et solides.

Chemin

En sortant du refuge, deux possibilités s'offrent à vous :

A • Rejoignez le Camino en allant dans Pedrouzo par la C.547. Prenez une rue qui monte à droite (direction Pazos – Lameiros) et rattrapez bientôt le Camino après être passé devant **l'école d'Arca**.

B • Revenez sur vos pas ; là où la veille vous avez pris la C.547 (au K.18.5). Rejoignez un chemin (à gauche, entre les eucalyptus) qui bientôt monte devant **l'école d'Arca** et reprenez un autre chemin en sous-bois jusqu'à **San Antón**.

À **San Antón**, prenez, sur la droite, une petite route qui vous mène à **Amenal** (K.15). Traversez la grand-route (au K.14,5) et prenez une belle *corredoira* qui monte vers **Cimadevila**. Poursuivez en montant par un chemin. Peu après, prenez une piste sur la droite, longez une forêt d'eucalyptus et **l'aéroport international de Santiago de Compostela-Lavacolla** (sur votre gauche). Au carrefour du **Lugar Santiso** (K.12), prenez, à gauche, un chemin tracé entre l'aéroport et la C.547. Peu après,

La « Compostela »

traversez cette grand-route, pour poursuivre de l'autre côté. Bientôt, vous tournez (à droite) sur une petite route qui mène à **San Paio de Lavacolla** (K.13,614). Traversez le village, passez à gauche de l'église et franchissez un petit río. À la sortie, la route monte fermement. Quittez-la peu après, pour prendre un chemin (sur votre droite). Celui-ci redescend et traverse une grand-route. Continuez, toujours tout droit et entrez dans **Lavacolla** par une petite route. Traversez la C.547 et le río Lavacolla (dans lequel les pèlerins se lavaient jadis entièrement, afin de se présenter propres devant le tombeau de l'Apôtre). Prenez ensuite la petite route (*senda* aménagée fin 2003) qui monte fermement. C'est ainsi que vous entamez votre **dernière ascension. Savourez-la!** Un peu plus loin, la route redescend légèrement vers la gauche, pour remonter. Bientôt, suivez la petite route (sur la droite) qui passe immédiatement à **Villamayor**. Traversez le petit río et continuez à monter légèrement, sur quelques kilomètres, en passant devant les établissements de la chaîne de télévision T.V. Galicia. Peu après, prenez une petite route (sur la droite), bordée d'un camping (à gauche) et du siège de la chaîne T.V.E. Galicia (à droite). Suivez ensuite la petite route (sur votre droite) qui, sur quelques petits kilomètres, monte à **San Marcos**. Là, partez à gauche par une petite ruelle. Bientôt, vous passez devant la chapelle San Marcos et le **Monte del Gozo** (remanié lors des JMJ de 1989 et de l'Année jubilaire 1993). Depuis cet endroit, quand il n'y a pas de brouillard, vous pouvez apercevoir les tours de la cathédrale de Santiago. Traversez le **complexe d'accueil des pèlerins**, et descendez vers la ville. Après avoir traversé l'autoroute et les voies de chemin de fer, passé **San Lázaro**, vous entrez **dans SANTIAGO DE COMPOSTELA. Par le trottoir, prenez les rues de Valiño, das Fontiñas et attrapez (à un carrefour) la rúa del Barrio de los Concheiros. Suivez ensuite la rúa de San Pedro jusqu'à la Porta do Camiño.**

En face, prenez la rúa de las Casas Reais, la rúa das Animas et traversez la plaza de Cervantes. Là, suivez la rúa Azabachería, la via Sacra et passez devant l'escalier de la plaza de la Quintana. Durant les années jubilaires, entrez par la Porte Sainte (plaza de la Quintana).

ICI SE TERMINE LE PÈLERINAGE!

❀ Villes, villages et sites traversés entre PEDROUZO, ARCA O PINO et SANTIAGO DE COMPOSTELA

INFORMATIONS PRATIQUES

FON	Fontaine	PH	Pharmacie
REF	Refuge de pèlerins	DAB	Dist. auto. de billets
BAR	Bar, café, buvette	BIV	Bivouac sauvage
RES	Restaurant	Alt.	Altitude
HOT	Hôtel, pension	E	A l'écart du Camino
ALI	Magasin d'alimentation	é	Seulement l'été
CAS	Casse-croûte	C	Chambres, pension, Casa Rural, etc

Distances	Villes, villages, sites	Alt.	FON	REF	BAR	ALI	CAS	RES	HOT	DAB	PH	BIV
- 20,6 km	Pedrouzo, Arca O Pino	300		✪	✪	✪	✪	✪		✪	✪	✪
à 0,7 km	Pedrouzo, école d'Arca	320		✪		✪						✪
à 0,8 km	San Antón	280										
à 1,9 km	Amenal	255			E							
à 3 km	Lugar Santiso	370		E			E	E				
à 1,5 km	San Paio de Lavacolla	335		✪		✪	✪	?				
à 2,1 km	Lavacolla	300	✪		✪	✪	✪	✪	✪		✪	✪
à 1,3 km	Villamayor	360		✪		✪	✪	C				
à 2,3 km	Camping San Marcos	390		E		E	E					
à 1,5 km	San Marcos do Monte do Gozo	370	✪	✪	✪	✪	✪	✪				
à 0,8 km	Complexe d'accueil du Monte de Gozo	340	✪	✪	✪	✪	✪	✪	✪	✪		
à 2,1 km	San Lázaro	295	✪	✪	✪	✪	✪	✪	✪			
à 2,6 km	Santiago de Compostella	260	✪	✪	✪	✪	✪	✪	✪	✪		

REFUGES

SAN MARCO/MONTE DO GOZO

• Accueil catholique au «Centro Europeo de Peregrinación Juan Pablo II». Derrière les statues des pèlerins. 22 places. Cuisine. Tél.: 981 59 72 22. ☩

COMPLEXE D'ACCUEIL DU MONTE DO GOZO

• En entamant la descente, peu après le monument et la chapelle San Marcos, à gauche. Complexe d'accueil de la Xunta de Galicia. Malgré le fait que les pavillons soient assez austères et impersonnels, ils offrent un bon confort. Tout ce complexe hôtelier n'est pas consacré qu'aux pèlerins, loin s'en faut. On y héberge également des étudiants, des congressistes, des touristes, etc. Accueil au Pabellón 29. 400 places (800 pour l'Année Sainte). Tél.: 981 55 89 42 et 660 39 68 27.

SAN LÁZARO

• Refuge privé «San Lázaro», ouvert en 2004 par Le Xacobeo. Rúa de San Lázaro. 80 places. Tél.: 981 57 14 88 et 618 26 68 94. 10 €.

SANTIAGO DE COMPOSTELA

• Refuge privé «Acuario», ouvert en 2003 dans un sous-sol d'immeuble moderne. 50 places. Rúa Estocolmo, 2 bajo; Fontiñas. Tél.: 981 57 54 38. 10 €.
• Au Seminario Menor de Belvis se trouve un refuge de pèlerins. On peut y regretter la promiscuité et l'absence de souplesse dans les horaires. 177 places. 10/12 €. Tél.: 981 58 92 00.
• L'Archicofradía, la Xunta de Galicia et l'Archevêché ont projeté l'ouverture d'un nouveau et grand refuge près de Belvis. ☩
• Projet d'accueil paroissial (San Antonio de Fontiñas). Tél.: 981 57 57 60.
• Refuge privé «O Fogar de Teodomiro». Tél.: 699 63 15 92.
• Refuge privé «Santo Santiago». 30 places. 12/13 €. Tél.: 657 40 24 03.

À VOIR ET À SAVOIR

SAN PAIO DE LAVACOLLA
• **Iglesia Santa Lucía de Saugueira.**

MONTE DO GOZO
OU MONTE DEL GOZO (le Mont-Joie)
• **Capilla San Marcos.**

SAN LÁZARO
• **Iglesia San Lázaro** (du XIIe siècle).

Monte do Gozo

SANTIAGO DE COMPOSTELA
VILLE SAINTE

De très nombreux monuments sont à visiter. Pour tout renseignement, rendez-vous au Bureau des pèlerins (rúa do Vilar, 1). Tél. : 981 56 88 46 ou à l'Office du tourisme (rúa do Vilar, 63).

Une visite explicative de la cathédrale, suivie d'une prière entre pèlerins a lieu plusieurs fois par semaine depuis 2006.

PERSONNAGES DU CAMINO

• Manolo (du Monte del Gozo)
C'est au grand complexe d'accueil des pèlerins que le très sympathique Manuel Mariño Nin (Manolo) œuvre à faire en sorte que vous puissiez passer une soirée agréable et une nuit confortable, avant que vous descendiez sur le sanctuaire du meilleur ami du Christ.

OÙ MANGER CONVENABLEMENT ?

LUGAR SANTISO (K.12)
• *Mesón Cima das Quintas*.

SAN MARCO DEL MONTE DO GOZO
• *Susos*.
• *El Labrador*.

SAN LÁZARO
• *O Tangueiro*.

SANTIAGO DE COMPOSTELA
• *Casa Manolo* (plaza Cervantes).
• *Mazaricos*.
• *San Clodio* (rua S. Pedro).

Offrande du Botafumeiro (grand encensoir) à la cathédrale

HORAIRES DES MESSES

Villes, villages, sites	Semaine	Samedi	Dimanches et fêtes
Lavacolla	09 h 00	idem	9 h 00, 12 h 00
San Lázaro			10 h 00
Santiago de Compostela	Messe des pèlerins, tous les jours a 12 h 00, dans la Cathédrale.		

Trajet facultatif

Santiago – Cabo Finisterre
91 km

Depuis que l'homme existe, sa curiosité l'a mené à savoir où donc allait le soleil.
L'astre le conduisit jusqu'à la mer.
Peut-être, vous aussi, vous demandez-vous si, en plongeant dans l'eau, le soleil fait « pschitt » ou « plouf »...

Vous trouverez plus d'informations à l'office du tourisme de Santiago.
(Documentation Xacobeo vérifiée)

Distances	Villes, villages, sites	Refuge	Distances	Villes, villages, sites	Refuge
0 km	Santiago de Compostela	x	à 0,5 km	Vilar de Castro	
à 2 km	Sarela de Abaixo		à 2 km	Lago	
à 1,5 km	Carballal		à 0,5 km	Porteliñas	
à 3,5 km	Quintáns		à 0,5 km	Abeleiroas	
à 3 km	Lombao		à 4 km	Ponteolveiroa	
à 1,5 km	Aguapesada		à 2 km	Olveiroa	x
à 2,5 km	Susavilla do Carballo		à 4 km	Logoso	
à 2 km	Burgueiros		à 1 km	Hospital	
à 1 km	Pontemaceira		à 5,5 km	Chapelle Virxen das Neves	
à 2 km	Barca		à 3,5 km	Chapelle San Pedro	
à 3 km	Negreira	x	à 4,5 km	Camiños Chans	
à 2 km	Zas		à 0,5 km	Cee	x
à 4 km	Rapote		à 2 km	Corcubión	x
à 2 km	Portocamiño		à 1 km	San Roque	
à 4 km	Villaserío		à 1 km	Amarela	
à 2 km	Cornado		à 2,5 km	Sardiñeiro de Abaixo	
à 5 km	Maroñas		à 6,5 km	Fisterra	x
à 4 km	Bon Xesús		à 3 km	Cabo Finisterre (Phare)	
à 0,5 km	Gueima				

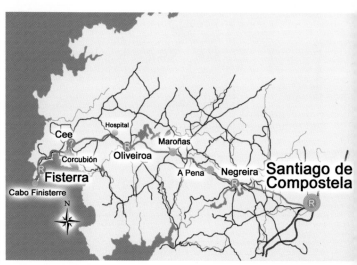

Lexique

Avec l'aide de ce petit lexique, comprenant 1 000 éléments de vocabulaire susceptibles de servir durant votre pèlerinage, vous devriez pouvoir vous passer d'un pesant dictionnaire français-espagnol.

A	
Abbaye	Abadía
Accident	Accidente
Accueil	Acogida
Acheter	Comprar
Addition	Cuenta
Adresse	Dirección
Aéroport	Aeropuerto
Âge	Edad
Âgé	Mayor
Agneau	Cordero
Aigle	Águila
Aiguille	Aguja
Ail	Ajo
Aimer (sentiments)	Amar, Querer
Aimer (goût)	Gustar
Air	Aere
Allemand	Alemán
Aller	Ir
Amande	Almendra
Âme	Alma
Ami	Amigo
Ampoule (cloque)	Ampolla
An	Año
Ancien	Antiguo
Âne	Burro
Anglais	Inglés
Année	Año
Apôtre	Apóstol
Appareil photo	Cámara fotográfica
Appartement	Piso
Appeler	Llamar
Après	Después
Après-midi	Tarde
Arabe	Árabe, Moro
Arbre	Arbol
Archevêque	Arzobispo
Architecture	Arquitectura

Argent	Dinero
Argent (métal)	Plata
Arme	Arma
Arrivée	Llegada
Arriver	Llegar
Art	Arte
Artiste	Artista
Aspirine	Aspirina
Asseoir (s')	Sentarse
Assez	Bastante
Assez !	¡¡¡ Basta !!!
Assiette	Plato
Assiette variée	Plato combinado
Attendre	Esperar
Attention !	Cuidado !
Au	Al
Au revoir	Adios
Auberge	Albergue, Hostal, Posada
Aucun	Ningun
Aujourd'hui	Hoy
Aussi	También
Autel (maître)	Altar mayor
Autocar	Autobus
Automne	Otoño
Autoroute	Autopista, Autovía
Avant	Antes
Avec	Con
Avenue	Avenida
Avion	Plano
Avoine	Avena
Avoir	Haber

B	
Banane	Plátano, banana
Bande orthopédique	Venda
Banque	Banco
Bar	Bar
Bas	Bajo

Bas (en)	Abajo	Café au lait	Cafe con leche
Bâton, Bourdon	Bastón, Palo,	Café noir	Cafe soló
Beau	Hermoso, Bello (figuré)	Camion	Camión
Beaucoup	Mucho	Canadien	Canadiense
Belge	Belga	Canif	Cortaplumas, Navaja
Bénédictin	Benedictino	Car	Autobús, Carro
Beurre	Manteca, Mantequilla	Cardiaque	Cardíaco
Bible	Biblia	Carrefour	Encrucijada
Bien	Bien	Carte bancaire	Tarjeta de telebanco
Bientôt	Pronto	Carte géographique	Mapa
Bière	Cerveza, Caña (demi)	Carte postale	Carta, Tarjeta
Blanc	Blanco	Casserole	Cacerola
Bleu	Azul	Castillan	Castellano
Blond	Rubio	Cathédrale	Catedral
Bœuf	Buey, Vacuno, Vaca,	Ce	Este, Esta, Esto, Ese, Eso
Boire	Beber	Ceci	Esto
Bois	Madera, Bosque (forêt)	Ces	Estos
Bon	Bueno, Buen	Chaîne	Cadena
Bon marché	Barato	Chaise	Silla
Bonjour (avant déj.)	Buenos días	Chaleur	Calor
Bonne nuit (apr. dîner)	Buenas noches	Chambre	Habitación, Cuarto
Bonsoir (du déj. au dîn.)	Buenas tardes	Chambre à air	Cámara de aire
Bouche	Boca	Champ	Campo
Boudin	Morcilla	Change	Cambio
Bougie	Candela	Changer	Cambiar
Boulangerie	Panaderia	Chant	Canto
Bouteille	Botella	Chanter	Cantar
Bras	Brazo	Chantier	Obra
Brebis	Oveja	Chapeau	Sombrero
Brouillard	Niebla	Chapelet	Rosario
Brûler	Quemar	Chapelle	Ermita, Capilla
Brun	Moreno	Chargé	Cargado
Bureau	Oficina	Chasse	Caza
Bus	Autobús	Chassée	Calzada
C		Chasser	Cazar
Ça	Esto, Eso	Chat	Gato
Cabine téléphonique	Telefono Publico	Châtaigne	Castaña
Café (bar)	Bar, Cafe	Châtaignier	Castaño

Français	Espagnol	Français	Espagnol
Château	Castillo	Coin	Esquina
Chaud	Caliente	Col (montagne)	Alto, puerto
Chauffage	Calefacción	Colique	Cólico
Chaussettes	Calcetines	Collégiale	Colegiata
Chaussure	Zapato, Bota	Coller	Pegar
Chemin	Camino	Colombe	Paloma
Chemin de fer	Ferrocaril	Colonne	Columna
Chemin de St-Jacques	Camino de Santiago	Combien	Cuanto
Cheminée	Chimenea	Commencer	Empezar
Chemise	Camisa	Comment	Como
Chêne	Roble, Encina	Communion	Comunión
Chèque	Cheque	Compétition	Competición
Cher, Coûteux	Caro	Complet	Completo
Cheval	Caballo	Complies	Completas
Chevalier	Caballiero	Comprendre	Entender, Comprender
Cheveu	Cabello	Compter	Contar
Cheville	Tobillo	Conduire	Conducir
Chèvre	Cabra	Confession	Confesión
Chien	Perro	Connaître	Conocer
Chips	Patatas fritas	Conseil	Consejo
Chocolat	Chocolate	Construire	Construir
Chœur	Coro	Contre	Contra
Choisir	Elegir	Coq	Gallo
Chômage	Paro forzoso	Coquille (St-Jacques)	Concha, Vieija (gallego)
Chômeur	Desempleado, parado	Corde	Cuerda
Chrétien	Cristiano	Cordonnier	Zapatero
Christ	Cristo	Côté	Lado
Cidre	Sidra	Côte (mer)	Costa
Ciel	Cielo	Côte (montée)	Cuesta
Cierge	Cirio	Côte (os)	Costilla
Cimetière	Cementerio	Coudre	Coser
Cistercien	Cisterciense	Couleur	Color
Citron	Limón	Coup	Golpe
Clé	Llave	Couper	Cortar
Clinique	Clínica	Cour	Patio
Cloche	Campana	Courbatures	Agujetas
Clocher	Campanario	Court	Corto
Cœur	Corazón	Couteau	Cuchillo

Couverture	Manta		Dernier	Ultimo
Crème	Crema, Nata (lait)		Derrière	Detrás
Crevaison	Pinchazo		Descendre	Bajar
Croisade	Cruzada		Désert	Desierto
Croisement	Cruzamiento, Cruce		Désinfectant	Desinfectante
Croix	Cruz		Désinfecter	Desinfectar
Crucifix	Crucifijo		Dessert	Postre
Cuiller	Cuchara		Dessin	Dibujo
Cuire	Cocer		Dessous	Debajo, Bajo, Abajo
Cuisine	Cocina		Dessus	Sobre, Arriba
Cuisse	Muslo		Devant	Delante
Culotte	Calzones		Devoir	Deber
Curé	Cura, Párroco, Sacerdote		Diabétique	Diabético
			Diable	Diablo
Cycliste	Ciclista		Dialogue	Diálogo
D			Diarrhée	Diarrea
Danger	Peligro		Dieu	Dios
Dangereux	Peligroso		Difficile	Dificil, Delicado
Dans	En, Dentro de		Dîner	Cena
Danser	Bailar		Dîner (verbe)	Cenar
Date	Fecha		Diplôme	Diploma
De	De		Dire	Decir
Découvrir	Descubrir		Direction	Dirección
Dedans	Dentro		Distributeur de billets	Cajero Automatico
Degré	Grado		Doigt	Dedo
Dehors	Fuera		Domicain	Dominico
Demain	Mañana		Domicile	Domicilio
Demain matin	Mañana por la mañana		Dommage !	¡ Que lástima !
Demander	Pedir, Preguntar		Don	Donativo
Demi pression (bière)	Caña		Donc	Pues
Démon	Demonio		Donjon	Torre del Homenaje
Démonter	Desmontar		Donner	Dar
Dent	Diente		Dormir	Dormir
Dépanner	Reparar, Sacar de apuro		Dos	Espalda
Départ	Partido		Douane	Adouana
Dépôt	Depósito		Doucement	Lentamente, Tranquilo
Depuis	Desde		Douche	Ducha
Déranger, indisposer	Molestar		Doux	Dulce, Suave

Droit	Derechoa
Droit (tout)	Recto, Todo recto
Droite	Derecha
Du	Del
Dur	Duro, Difícil

E

Eau	Agua
Eau-de-vie	Aguardiente
École	Escuela
Écossais	Escosés
Écouter	Escuchar
Écrire	Escribir
Ecurie	Caballeriza, Cuadra
Égaré	Extraviado
Église	Iglesla
Élastique	Elástico
Embrasser	Abrasar, besar
Emmener	Llevarse
Enchanté	Encantado
Endurance	Resistancia
Enfant	Niño
Enfer	Infierno
Enfermer	Encerrar
Enflé	Hichado, inflado
Ensemble	Conjunto, Juntos
Entendre	Entender, Oir
Entorse	Esguince, Torcedura
Entre (prep.)	Entre
Entrée	Entrada
Entrer	Entrar
Enveloppe	Sobre
Envoyer	Enviar
Épicerie	Tienda, Supermercado
Éponge	Esponja
Époux (se)	Esposo (sa)
Escalier	Escalera
Esotérisrne	Esoterismo
Espagne	España

Espagnol	Español
Esprit	Espíritu
Essayer	Ensayar, Probar
Essence	Gasolina
Est (point cardinal)	Este
Étage	Piso
Étape	Etapa
État	Estado
Été	Verano
Être	Estar
Être (permanent, inné)	Ser
Étrier	Estribo
Étude	Estudio
Étudiant	Estudiante
Europe	Europa
Européen	Europeo
Évangile	Evangelio
Évêque	Obispo

F

Face	Cara, De frente (en face)
Facile	Fácil
Façon	Manera
Faible	Débil
Faim	Hambre
Faire	Hacer
Famille	Famila
Fatigué	Cansado
Faute	Falta, Culpa
Faux	Falso
Femme	Mujer
Femme (épouse)	Esposa
Fenêtre	Ventana
Fer	Hierro, Ferro
Fer à cheval	Herradura
Fermé	Cerrado
Ferme (agricole)	Granja
Fermer	Cerrar

Fête	Fiesta
Feu	Fuego
Feu tricolore	Semaforo
Feuille	Hoja
Fiancé	Novio
Fièvre	Fiebre, Calentura
Figue	Higo
Figure, Visage	Cara
Fil	Hilo
File	Fila
Fille (genre)	Chica
Fille (progéniture)	Hija
Fils	Hijo
Fin	Fin
Finir	Acabar
Flèche	Flecha
Fleur	Flor
Fond	Fondo
Fontaine	Fuente
Forêt	Selva
Fort	Fuerte
Fortune	Fortuna
Fou	Loco
Foulard	Pañuelo
Fourchette	Tenedor
Fourmi	Hormiga
Frais	Fresco
Fraise	Fresa
Français	Francés
France	Francia
Frère	Hermano
Frites (patates)	Patatas fritas
Froid	Frio
Fromage	Queso
Frontière	Fronterra
Fruit	Fruto, Fruta
Fumer	Fumar
Fusil	Fusil

G	
Gagner	Ganar
Galicien	Gallego
Garçon	Chico, Muchacho
Garder	Guardar
Gare (trains)	Estación
Gâteau	Pastel
Gauche	Izquierda (do)
Gaz	Gas
Gelé	Helado
Gendarmerie	Guardia Civil
Gens (les)	La gente
Géographie	Geografia
Géologie	Geologia
Gitan	Gitano
Glace (dessert)	Helada
Glaçon	Hielo, Témprano
Glisser	Deslizar, Resbalar
Gorge	Garganta
Gothique	Gótico
Goudron	Brea
Gourde	Cantimplora, Bota (vin)
Gout	Gusto
Goûter	Probar
Graisse	Graza
Grand	Grande
Gratuit	Gratuito, Gratis
Grave	Grave
Grippe	Gripe
Gros	Gordo
Grotte	Gruta
Groupe	Grupo
Gué	Vado
Guêpe	Avispa
Guérir	Sanar
Guerre	Guerra
Guide	Guía

H	
Habit	Vestido
Habiter	Vivir
Haricot	Alubia, Judia
Haut	Alto
Haut (en)	Arriba
Hauteur	Altura
Herbe	Hierba
Heure	Hora
Heureux	Feliz
Hier	Ayer
Histoire	Historia
Hiver	Invierno
Homme	Hombre
Hôpital	Hospital
Horizon	Horizonte
Horloge	Reloj
Hostie	Hostia
Hôtel	Hotel, hostál
Huile	Aceite
Humide	Húmedo

I	
Ici	Aquí
Idée	Idea
Idiot	Idiota
Il	El
Île	Isla
Immeuble	Inmueble
Important	Importante
Impôt	Impuesto
Inférieur	Inferior
Insolation	Insolación
Interdire	Prohibir
Interdit	Prohibido
Intérieur	Interior
Ivre	Borracho

J	
Jacques	Santiago
Jamais	Nunca
Jambe	Pierna
Jambon	Jamón
Jardin	Jardín
Jaune	Amarillo
Jésus	Jesús
Jeter	Echar, Tirar
Jeu	Juego
Jeune	Joven
Jouer	Jugar
Jouer (instrument)	Tocar
Jour	Dia
Journal	Diario, Periódico
Juif	Judío
Jument	Yegua
Jupe	Falda
Jus	Zumo
Jusque	Hasla
Juste	Justo

K	
Kilomètre	Kilómetro
Kilogramme	Kilogramo

L	
La	La
Là	Ahí, Alli (+ éloigné)
Là-bas	Allá
Laid	Feo
Laine	Lana
Laisser	Dejar
Lait	Leche
Lampe	Lampera, Linterna
Langue (idiome)	Idioma
Lapin	Conejo
Lard	Tocino
Large	Ancho

Laudes	Laudes	Malade	Enfermo
Laver	Lavar, Fregar (vaisselle)	Malheur	Desgracia
Le	El	Manger	Comer
Légende	Leyenda	Marcher	Andar
Léger	Ligero	Maréchal ferrant	Herrador
Légume	Legumbre	Mari, Époux	Marido, Esposo
Les	Los, Las	Marié	Casado
Lettre (courrier)	Carta, Letra	Martyr	Mártir
Lever	Levantar	Massage	Masaje
Lieu	Lugar	Matelas	Colchoneta
Linge	Ropa	Matin	Mañana
Lire	Leer	Maure	Moro
Lit	Cama	Mauvais	Malo
Litre	Litro	Médecin	Médico
Livre	Libro	Meilleur	Mejor
Loin	Lejo	Même	Mismo
Long	Largo	Mensonge	Mentira
Loup	Lobo	Menton	Barbilla
Lourd	Pesado	Menu	Menú
Lumière	Luz	Mer	Mar
Lune	Luna	Merci	Gracias
Lunettes	Gafas	Mère	Madre
Lutter	Luchar	Messe	Misa
Luxe	Lujo	Métal	Metal
M		Métier	Oficio
Madame	Señora	Mètre	Metre
Mademoiselle	Señorita	Mettre, Poser	Poner, Dejar
Magasin	Tienda, Almacén	Meuble	Mueble
Magasin d'alimentation	Tienda de alimentación	Midi	Mediodía
Magazine	Periódico, Revista	Mieux	Mejor
Maigre	Flaco	Ministre	Ministre
Main	Mano	Minute	Minuto
Maintenant	Ahora	Moderne	Moderno
Maire	Alcalde	Moi	Yo, Moi, Mia, Mios, Mias
Mairie	Ayuntamiento, Alcaldia	Moine	Monje
Mais	Pero	Moins	Menos
Maison	Casa	Mois	Mes
Mal	Mal, Malo	Moment	Momento

Mon, Ma, Mes	Mi, Mis		Neuf	Nuevo
Monastère	Monasterio		Nez	Nariz
Moniale	Monja		Ni	Ni
Monnaie	Moneda		Noël	Navidad
Monsieur	Señor		Noir	Negro
Montagne	Montaña, Sierra		Noix	Nuez
Monter	Subir		Nom	Nombre
Moite	Reloj		Nom de famille	Apellido
Monument	Monumento		Nombre	Número
Moral	Moral		Non	No
Morceau	Trozo		Non plus	Tampoco
Mordre	Morder		Nord (point cardinal)	Norte
Mordu	Mordido		Note	Nota
Mors	Bocado		Notre Dame	Nuestra Señora
Mort	Muerto		Nourriture	Comida
Mort (la)	Muerte		Nouveau	Nuevo
Mot	Palabra		Nu	Desnudo
Mouche	Mosca		Nuage	Nube
Mouillé	Mojado		Nuit	Noche
Moule (mollusque)	Mejillón		Numéro	Número
Mourir	Morir		**O**	
Moustique	Mosquito		Occupé	Ocupado
Mouton	Camero		Odeur	Olor
Moyen	Medio		Œuf	Huevo
Moyenâgeux, Médiéval	Medioeval		Œuvre	Obra
Municipale	Municipal		Oignon	Cebolla
Mur	Pared		Oiseau	Pajaro, Ave
Muscle	Mùsculo		Olive	Oliva, Aceituna
Musée	Museo		Ombre	Sombra
Musique	Musica		Omelette	Tortilla
Mystère	Misterio		Or	Oro
N			Orage	Tormenta
National	Nacional		Orange	Naranja
Nature	Naturaleza		Ordre	Orden
Naturel	Natural		Oreille	Oreja
Nécessaire	Necesario		Ou	O
Neige	Nieve		Où	Donde, Adonde
Nettoyer	Fregar		Ouest (point cardinal)	Oeste

Oui	Si	Pêche	Pesca
Ouvert	Abierto	Pêche	Melocotón
Ouvrir	Abrir	Péché	Pecado
P		Pédale	Pedal
Page	Página	Pédaler	Pedalear
Païen	Pagano	Pédalier	Pedalera
Paille	Paja	Peinture	Pintura
Pain	Pan	Pèlerin	Peregrino
Panaris	Panadizo	Pèlerinage	Peregrinación
Pansement	Cura	Pellicule photo	Película
Pantalon	Pantalón	Pendu	Ahorcado
Pape (S. S le)	El Papa	Pension	Pensión
Papier	Papel	Perdre	Perder
Pâques	Pascua	Perdu	Perdido
Par	Por	Père	Padre
Paradis	Paraíso	Personne	Nadie
Parapluie	Paraguas	Petit	Pequeño
Parc	Parque	Petit déjeuner	Desayuno
Parce que	Porque	Peu	Poco
Pardon	Perdón	Peuple	Pueblo
Pardon !	Dispense usted	Pharmacie (boutique)	Farmacia
Parfois	A veces	Pharmacie (trousse, armoire)	Botequin
Parfum	Perfume	Photo	Foto
Parler	Hablar	Phrase	Palabra
Paroisse	Parroquia	Pied	Pie
Partir	Partir, Marchar	Pierre	Piedra
Passage	Paso	Pile	Pila
Passeport	Pasaporte	Piment	Pimiento
Passeport du pèlerin	Credencial de peregrino	Pli	Pino
Passion	Pasión	Piscine	Piscina
Patate	Patata	Pisser	Mear
Pâte	Pasta	Place	Plaza, Sitio (endroit)
Patrie	Patria	Plan	Plano
Pauvre	Pobre	Plastique	Plastico
Payer	Pagar	Plat	Plato
Paysage	Paisaje	Plein	Lleno
Paysan	Campesino	Pluie	Lluvia
Peau	Piel	Plus	Màs

Poche	Bolso	Prochain	Próximo
Poêle	Sartén	Proche	Próximo
Poids	Peso	Propre	Limpio
Point	Punto	Prouver	Probar
Poire	Pera	Public	Público
Pois chiche	Garbanzo	Puits	Pozo
Poisson (vivant)	Pez	Pyrénées	Pirineos
Poisson (cuisine)	Pescado	**Q**	
Poivre	Pimienta		
Poivron	Pimientón	Quand	Cuando
Police	Policia	Quartier (secteur)	Bario
Politique	Político	Quatrième	Quarto
Pommade	Pomada	Que	Que, Qué
Panne	Manzana	Quel	Cual, Qué
Pont	Puente	Quelqu'un	Alguien
Porc	Cerdo	Quelques	Agunos (as)
Porte	Puerta	Question	Pregunta, Alguno
Porter	Llevar	Qui	Quien
Poser	Dejar	Quoi	Que, Qué
Poste (bureau de)	Oficina de correo	**R**	
Poubelle	Basura		
Poulet	Pollo	Radio	Radio
Poulpe	Pulpo	Raisin	Uva
Pour	Para, Por	Recommencer	Repetir
Pourquoi	Porque	Refuge	Refugio
Pousser	Empujar	Regarder	Mirar
Pouvoir	Poder	Région	Región
Premier	Primero, Primer	Règle	Regla
Prendre	Tomar, Prender, Cojer	Reine	Reina
Prénom	Nombre	Religieux	Religioso
Prêtre	Sacerdote	Rencontrer	Encontrar
Prier	Rezar, Orar	Rênes	Riendas
Prière	Oración	Réparateur	Reparador
Prince	Principe	Réparation	Reparación
Printemps	Primavera	Réparer	Reparar
Prison	Carcel	Repas	Comida
Privé	Privado	Répéter	Repetir
Prix	Precio	Réponse	Respuesta
		Repos	Descanso

Reposer (se)	Descansar	Sale	Sucio
Réseau	Red	Salé	Salado
Réserve	Reserva	Salle de bain	Cuarto de baño
Restaurant	Restaurante	Sandwich	Bocadillo
Rétable	Retablo	Sang	Sangre
Retour	Vuelta	Sans	Sin
Retourner	Volver	Santé	Salud
Retraité	Jubilado	Sauce	Salsa
Rêve	Sueño	Saucisse	Salchicha
Réveiller	Despertar	Saucisson	Salchichón
Réveil (horloge)	Despertador	Sauvage	Salvaje
Rêver	Soñar	Savoir	Saber
Riche	Rico	Savon	Jabón
Rire	Reir	Sculpture	Escultura
Riviere, fleuve	Río	Sec	Seco
Riz	Aroz	Sécher	Secar
Robe	Vestido	Second	Segundo
Roi	Rey	Seconde	Segunda
Romain	Romano	Secret	Secreto
Roman	Románico	Seigneur	Señor
Roue	Rueda	Sein	Pecho
Rouge	Rojo	Sel	Sal
Route	Carretera	Selle (cheval)	Silla
Royal	Real	Selle (vélo)	Sillín
Royaume	Reino	Semaine	Semana
Rue	Calle	Séminaire	Seminario
Ruisseau	Arroyo	Sentir	Sentir
Russe	Ruso	Serpent	Serpiente

S		

		Service	Servicio
S'il vous plait!?	Por favor	Servir	Servir
Sa	Su	Sexe	Sexe
Sac	Saco, Bolsa	Short	Pantalón corte
Sac à dos	Mochila	Siècle	Siglo
Sac de couchage	Saco de dormir	Siege	Asiento, Sede
Sacoche	Cartera	Sieste	Siesta
Sacristain	Sacritano	Signature	Firma
Saint	Santo, San	Signer	Firmar
Salade	Ensalada	Société	Sociedad

Sœur	Hermana
Soif	Sed
Soigner	Cuidar
Soir	Tarde, Neche
Soi	Suelo
Soldat	Soldado
Soleil	Sol
Solitude	Soledad
Sombre, Obscur	Obscuro
Sommeil	Sueño
Sommet	Cima
Sortie	Salida
Sortir	Salir
Soupe	Sopa
Sous	Debajo, Bajo
Souterrain	Subterráneo
Sparadrap	Esparadrao
Sport	Deporte
Statue	Estatua
Style	Estilo
Stylo	Boligrafo, Estilógrafo
Sucre	Azucar
Sud (point cardinal)	Sur
Suer	Sudar
Suisse	Suisa
Suivre	Seguir
Supérette	Supermercado
Supérieur	Superior
Sûr	Seguro
Sûrement	Seguramente
Symbole	Símbolo

T	
T-shirt	Camiseta
Tabac	Tabaco, Estanco (bureau)
Tabernacle	Tabernáculo
Table	Mesa
Talc	Talco
Tampon	Sella (sceau), Tapón

Tamponner	Sellar
Taureau	Toro
Téléphone	Teléfono
Téléphoner	Telefonear
Télévision	Televisión
Templier	Templario
Temps	Tiempo
Terminer	Terminar
Terre	Tierra
Tête	Cabeza
Texte	Texto
Thé	Te
Thon	Atún, Bonito
Timbre	Sello
Tire-bouchon	Sacacorchos
Toilettes	Servicios, Aseos
Toit	Techo
Tomate	Tomate
Tomber	Caer
Toucher	Tocar
Toujours	Siempre
Tour	Torre, Vuelta (rond)
Tourisme	Turismo
Touriste	Turista
Tourner	Vueltar, Girar
Tournesol	Girasol
Tout	Todo
Train	Tren
Transept	Crucero
Transpirer	Transpirar
Travail	Trabajo
Travailler	Trabajar
Travaux	Obras
Traverser	Cruzar
Triangle	Triángulo
Triste	Triste
Troisième	Tercer
Trottoir	Acera

Trop	Demasiado
Trou	Agujero
Trouver	Encontrar
Truite	Trucha
Tube	Tubo
Tuer	Matar

U

Un	Un
Une	Una
User	User, Gastar
Utiliser	Usar

V

Vache	Vaca
Vagabond	Vagabundo
Vaincre	Vencer
Vaisselle	Vajilla
Vallée	Valle
Veau	Ternera
Végétarien	Vegetarian
Vendre	Vender
Venir	Venir
Vent	Viento
Ventre	Vientre
Vêpres	Visperas
Verdure	Verdura
Vérité	Verdad
Verre (matière)	Vidrio
Verre à boire	Vaso, copa (à pied)
Vert	Verde
Veste	Chaqueta
Vêtement	Ropa, Vestido
Vétérinaire	Veterinario
Viande	Carne

Victime	Victima
Vide	Vacío
Vie	Vida
Vierge	Virgen
Vieux	Viejo
Vigne	Viña
Village	Pueblo
Ville	Ciudad
Vin	Vino
Vipère	Vibora
Virage	Virada, Vuelta
Visiter	Visitar
Vite	Pronto
Vivre	Vivir
Voici	Aqui
Voie	Via
Voilà	Ahi
Voir	Ver
Voiture	Coche
Voix	Voz
Vol (oiseau)	Vuelo
Vol (voleur)	Robo
Voler (oiseau)	Velar
Voler (voleur)	Robar
Voleur	Ladrón
Voûte	Bóveda
Voyage	Viaje
Vrai	Verdadero, De verdad
Vue	Vista

W, X, Y, Z

WC	Aseos, Servicios
Yeux	Ojos
Zone	Zona

Chiffres

0	Zero		40	Cuarenta
1	Uno		41	Cuarenta y uno
2	Dos		42	Cuarenta y dos
3	Tres		50	Cinquenta
4	Cuatro		51	Cinquenta y uno
5	Cinco		52	Cinquenta y dos
6	Seis		60	Sesenta
7	Siete		61	Sesenta y uno
8	Ocho		62	Sesenta y dos
9	Nueve		70	Setenta
10	Diez		71	Setenta y uno
11	Once		72	Setenta y dos
12	Doce		80	Ochenta
13	Trece		81	Ochenta y uno
14	Cuatorce		82	Ochenta y dos
15	Quince		90	Noventa
16	Dieciseis		91	Noventa y uno
17	Diecisiete		92	Noventa y dos
18	Dieciocho		100	Cien
19	Diecinueve		200	Dos cientos
20	Veinte		300	Tres cientos
21	Veintinuo		365	Tres ciento sesenta y cinco
22	Ventidos		500	Quiniento
23	Ventitrés		1 000	Mil
24	Venticuatro		1 999	Mil nueve ciento noventa y nueve
30	Tranta		2 000	Dos mil
31	Tranta y uno		1 000 000	Un milión
32	Tranta y dos			

Janvier	Enero		Lundi	Lunes
Février	Febrero		Mardi	Martes
Mars	Marzo		Mercredi	Miercoles
Avril	Abril		Jeudi	Jueves
Mal	Mayo		Vendredi	Viennes
Juin	Junio		Samedi	Sabado
Juillet	Julio		Dimanche	Domingo
Août	Agosto			
Septembre	Septiembre			
Octobre	Octubre			
Novembre	Noviembre			
Décembre	Diciembre			

Gardez contact avec les pèlerins rencontrés

Prénom, Nom	Notes
Rencontré à	
Adresse	
Téléphone	
Email	

Prénom, Nom	Notes
Rencontré à	
Adresse	
Téléphone	
Email	

Prénom, Nom	Notes
Rencontré à	
Adresse	
Téléphone	
Email	

Prénom, Nom	Notes
Rencontré à	
Adresse	
Téléphone	
Email	

Prénom, Nom	Notes
Rencontré à	
Adresse	
Téléphone	
Email	

Prénom, Nom	Notes
Rencontré à	
Adresse	
Téléphone	
Email	

Prénom, Nom	Notes
Rencontré à	
Adresse	
Téléphone	
Email	

Prénom, Nom	Notes
Rencontré à	
Adresse	
Téléphone	
Email	

Prénom, Nom	Notes
Rencontré à	
Adresse	
Téléphone	
Email	

Prénom, Nom	Notes
Rencontré à	
Adresse	
Téléphone	
Email	

Prénom, Nom	Notes
Rencontré à	
Adresse	
Téléphone	
Email	

Prénom, Nom	Notes
Rencontré à	
Adresse	
Téléphone	
Email	

Notes personnelles

Notes personnelles

Notes personnelles

conception
réalisation
mise en page
pca

44405 Rezé cedex

Imprimé en France par EUROPE MEDIA DUPLICATION S.A.S. en juin 2010
53110 Lassay-les-Châteaux
N° dossier : 23361 – Dépôt légal : juin 2010